PATINES ET MATIÈRES

PATINES ET MATIÈRES

Roger LE PUIL

dessain et tolra

REMERCIEMENTS

● Monsieur Jacques LAURENT, chef de l'Atelier de Moulages du Louvre pour son
autorisation de reproduire dans ce livre le moulage « aurige de DELPHES »
● Monsieur Patrice KREITZ, peintre décorateur (consultant)
● Monsieur François BONNET, peintre fileur, doreur (consultant)
● Madame Simone AUDEBEAU (préparation de textes)

Édition : Laurence Noirot
Fabrication : Fabienne Rousseau
Maquette : Michèle Andrault
Composition : Graphic Hainaut
Photogravure : Eurésys

Tous les dessins et réalisations ont été créés
et exécutés par l'auteur, Roger Le Puil.

Photos p. 32 (Plaquettes et bâtonnets de cire)
et 4e de couverture : Jeanbor

© 1992, Dessain et Tolra, Paris
Dépôt légal : avril 1992
ISBN 2-249-27868-7

Imprimé par Graficromo, Cordoue (Espagne)

PRÉFACE

Ce livre présente une synthèse claire, accessible et unique des méthodes et des techniques des patines et matières décoratives, fruit de l'expérience très riche d'un véritable professionnel.

Dans cet ouvrage, Roger Le Puil allie l'esprit de la tradition qui fait partie de notre fonds culturel à des réalisations correspondant aux goûts contemporains.

Patines et matières décoratives permettent de personnaliser un intérieur, et ainsi que le montre l'auteur, de mettre en valeur les meubles et les objets auxquels vous êtes attachés.

Bientôt toutes ces techniques sophistiquées de l'artisanat d'art n'auront plus de secret pour vous... à condition de les maîtriser par une pratique régulière.

Cet ouvrage est important car à l'heure actuelle, il n'existe aucune publication dans ce domaine. Il deviendra vite, par les classifications établies et la terminologie employée, un livre de référence pour les différents secteurs d'activités susceptibles d'utiliser ces techniques : architecture d'intérieur, agencement, ameublement, sans oublier, bien sûr, peinture et décoration.

Par cette préface, j'ai l'honneur et le réel plaisir de rendre hommage à ce grand professionnel qu'est Roger Le Puil, Meilleur Ouvrier de France en Peinture, et également de saluer ses qualités de pédagogue à la fois comme Directeur Technique et comme formateur dans notre centre de Pantin.

Je me dois aussi de souligner ses larges compétences qui se traduisent tant dans le domaine du décor peint proprement dit, par la collaboration en 1988 à la réalisation d'un livre sur le décor peint en trompe-l'œil de Yannick Guégan, que par la création du présent ouvrage dans le domaine de la peinture.

Jean-Michel HOTYAT
Secrétaire Général de la Formation
Professionnelle de la Chambre Syndicale
des Entreprises de Peinture de Paris et sa Région

SOMMAIRE

INTRODUCTION

Cet ouvrage explique la réalisation de travaux décoratifs précis:
— Les «patines décoratives» et vieillissages de peintures.
— Les imitations de bronzes et de pierres.
— Les effets de matières diverses liées à la décoration intérieure.
— Les méthodes d'ornementation simple.

Il est conçu comme un manuel pratique indiquant la préparation des fonds, l'ordre des opérations, les fournitures et le matériel, les gestes et trucs d'atelier utiles.

Ces travaux représentent une partie des techniques de décoration peinte, qui comprennent notamment les imitations de bois et de marbres, la dorure, la fresque murale (sujets non traités dans cet ouvrage). Les explications sont donc issues de pratiques professionnelles; on peut les considérer comme des bases utiles pour l'amateur et le décorateur débutant ou comme des compléments indispensables au peintre d'intérieur.

Les réalisations qui vont suivre restent pourtant ouvertes à tout public intéressé: les techniques utilisées sont simples, l'équipement accessible à tous. L'approche en sera donc facile à condition d'effectuer les entraînements nécessaires sur des surfaces d'essai.

Ces descriptions de travaux s'appliquent aux surfaces habituelles que l'on décore, un mur, une boiserie, une rosace ou un meuble, mais aussi aux objets de toutes tailles: moulages, coffrets, cadres, ou panneaux décoratifs isolés.

CONSIDÉRATIONS SUR LES PATINES ET MATIÈRES

Pour décorer notre habitat, nous utilisons différents éléments: le mobilier, les tissus d'ameublement, l'habillage du sol, l'éclairage, les objets d'art, l'art floral, etc. Mais le principal élément reste la surface elle-même du local concerné, c'est-à-dire son plafond, ses murs, ses boiseries; ils constituent par leurs dimensions l'atout majeur pour créer une ambiance personnalisée par les travaux décoratifs réalisés, les coloris choisis, les peintures et revêtements présents.

C'est dans cette conception du décor intérieur que les patines principalement, et autres effets de matières, trouvent leur principal emploi.

Mais ce n'est pas simple, des règles de bon goût doivent être observées en fonction des éléments existants:

— Les effets décoratifs de cet ouvrage ont un point commun: leur aspect général doux et atténué. Ils doivent donc garder ce rôle qui est de mettre en valeur l'ameublement, les bibelots, etc. et non pas les supplanter.

— Les coloris choisis doivent l'être selon les règles d'harmonie des couleurs: les tons sur tons (ex. 1), les tons opposés complémentaires, les tons neutres, les tons en camaïeu (ex. 2), les accords polychromes, etc.

— Une certaine logique doit être respectée, eu égard au style ou au caractère qui se dégagera de la pièce une fois celle-ci terminée et habitée, ce qui suppose une anticipation au début des travaux. Un mur traité « façon pierre de taille » conviendra mieux au voisinage d'un meuble Renaissance ou rustique en bois sombre, qu'une patine à l'éponge, d'esprit contemporain et de tonalité franche.

Étude d'harmonie en tons sur tons entre un revêtement et une boiserie

Étude d'harmonie en camaieu entre un revêtement et une boiserie (avec échantillons des dégradés issus de la teinte de base)

TECHNIQUES

LES SYSTÈMES UTILISÉS

Le système qui permet de réaliser un travail décoratif sur une surface comporte une série d'opérations dont l'ordre chronologique est invariable. Professionnellement, ces opérations sont classées en cinq parties, quel que soit le support à décorer.

— Les travaux préparatoires : ils désignent la première opération indispensable pour préparer une surface. Exemple : le lessivage d'anciennes peintures salies.
— Les travaux d'apprêts : ils comprennent les opérations d'impression, d'enduisage, de ponçage, etc. pour bien apprêter la surface.
— Les peintures de fond : elles fournissent la coloration conventionnelle de la surface, indispensable avant le décor.
— Les travaux de décor : ils consistent à réaliser la finition décorative recherchée.
— Les couches de protection : elles ont pour but de protéger le décor fini, par application d'une ou deux couches de produits transparents.

En travaux décoratifs intérieurs,
deux systèmes s'offrent à vous, au choix :

— Le système utilisant les produits traditionnels, à dilution essence. On emploie des impressions alkydes et des peintures alkydes (ou des impressions et des peintures à l'huile) pour préparer les fonds, puis des glacis à l'huile pour le décor et des vernis alkydes en protection finale.

— Le système utilisant les produits actuels, à dilution eau. On emploie des impressions acryliques et des peintures acryliques (ou vinyliques) pour préparer les fonds, puis des glacis par dilution de ces mêmes produits pour le décor ; de plus les protections finales s'avèrent moins utiles.
Observations :
Il est possible de passer d'un système à l'autre, sans qu'il y ait incompatibilité.
Exemples :
— Faire un travail décoratif en appliquant de la peinture acrylique diluée à l'eau sur un fond en peinture alkyde mate (à solvant).
— Passer un glacis à l'huile sur un fond en peinture acrylique satinée (à dilution eau).
— Passer un glacis à l'huile sur un premier glacis acrylique.

En travaux extérieurs
(façades en ciment principalement) :

— On emploie des peintures acryliques ou vinyliques, qualité «extérieur» ou des peintures à la pliolite (coloris limités) ; toutes ces peintures sont compatibles avec le ciment, en contact direct ou non.
— On emploie aussi des peintures alkydes satinées ou brillantes mais surtout pour le bois et les surfaces métalliques : ces peintures ne sont pas compatibles avec le ciment en contact direct. Comme en intérieur, les glacis à l'huile recevront des vernis alkydes en protection finale.

LES PEINTURES DE FONDS AVANT DÉCORS

Ces peintures ont une grande importance pour la réussite finale du travail décoratif recherché. Elles devront:
— Être appliquées en deux couches pour bien saturer le support apprêté préalablement.
— Avoir la tonalité voulue, pour la dernière couche surtout, selon les matières et effets recherchés. Voir pour cela les tons de fond indiqués pour chaque matière.
— Présenter un aspect lisse par une application soignée à l'aide des brosses à peindre et des spalters à lisser la peinture.

En système traditionnel à dilution essence, on utilise:

des peintures commerciales dites peintures laques alkydes satinées (le mot «alkyde» remplaçant l'ancienne appellation «glycérophtalique») ou de la peinture à l'huile que l'on prépare soi-même (blanc broyé, huile, essence, siccatif et colorants en pâte) mais limitée aux tons clairs.

En système actuel à dilution eau, on utilise:

des peintures commerciales dites peintures acryliques ou vinyliques en phase aqueuse et d'aspect satiné de préférence.

Observations:
— Certains travaux se réalisent sur des peintures d'aspect mat; ce renseignement sera développé ultérieurement.
— L'aspect «tendu», très lisse, obtenu par l'emploi des *peintures laques alkydes* satinées justifie essentiellement la préférence des professionnels pour le système à solvants.
— Les peintures à dilution eau présentent des avantages: séchage rapide, pas d'odeur de solvant, nettoyage à l'eau et une conformité pour des travaux parfois soumis à une règlementation concernant les risques d'incendie.
— Selon les teintes des peintures proposées par les fabricants, on pourra choisir les plus proches des tons de fonds adéquats: les tonalités claires peuvent aussi être obtenues en teintant les peintures blanches de base à l'aide des colorants concentrés universels.

Peintures de fonds — exemples

Ton noir uni (côté gauche)
avant une imitation «bronze antique»

Ton jaune uni (côté gauche)
avant une imitation «bronze médaille»

Pour réaliser des travaux décoratifs, on utilise principalement des glacis, et parfois des peintures employées telles ou diluées.

Un glacis est un liquide assez fluide, plus ou moins coloré et comportant un liant. Il a comme caractéristique d'être suffisamment transparent pour laisser apparaître faiblement ou fortement la couleur du fond sur lequel il a été appliqué. Ce principe général permet d'obtenir de nombreux effets décoratifs, grâce à des enlevés variables que l'on pratique dans ce liquide encore frais.

Pour des décorations en teintes plates et couvrantes, on utilise plutôt des peintures consistantes.

Exemples : motifs peints unis, filets, galons ou lettres peintes, ornements au pochoir, etc.

On utilise en système traditionnel à solvant :

— Glacis à l'huile : composé de 2/3 d'essence de térébenthine et d'1/3 d'huile de lin, plus 3 % de siccatif liquide (en volume) et des couleurs en poudre selon le coloris recherché.

Le teintage de ce glacis avec des tubes de couleurs fines à l'huile est également possible, principalement pour des travaux fins de surface réduite, ou pour obtenir une couleur franche.

Exemples : glacis bleu pour un ciel ou glacis blanc pour réaliser des lumières dans un faux-relief.

— Peintures : emploi de couleurs fines à l'huile mêlées à un peu de glacis siccativé, ou emploi de peintures alkydes (en petit boîtage) diluées selon les besoins, mais attention à leur séchage plus rapide.

On utilise en système actuel à l'eau :

— Glacis : emploi de couleurs fines acryliques artistiques, en tubes, diluées à l'eau, ou emploi de peintures acryliques en petit boîtage (qualité décor et publicité) diluées à l'eau.

— Peinture : emploi de peintures acryliques en tube ou boîtage, comme ci-dessus.

À noter : dans les deux cas, emploi possible de peintures vinyliques de qualité.

RENSEIGNEMENTS PRATIQUES SUR LES GLACIS :

Un glacis à l'huile peut s'appliquer sur un glacis acrylique sec. Un glacis acrylique peut aussi s'appliquer sur un glacis à l'huile sec.

Ces superpositions possibles, appelées reglaçages, sont souvent faites pour ajouter des effets, apporter une autre coloration partielle ou en plein, donner une profondeur supplémentaire aux matières imitées.

D'autres produits liquides appelés glacis à l'eau peuvent aussi s'utiliser en application directe sur les fonds ou en reglaçage ; ils sont faits de bière ou de vinaigre blanc, auxquels on incorpore des pigments. Il faut ensuite les fixer par un vernis ou un glacis à l'huile.

Dans les travaux qui vont suivre, l'expression « appliquer sur le fond un glacis incolore » désignera toujours l'emploi d'un glacis à l'huile. Cette opération préalable permet de travailler dans le frais pour réaliser des fondus, c'est-à-dire des effets estompés très doux. Les glacis acryliques ne nécessitent pas une opération semblable car les mêmes effets seront obtenus par un apport d'eau au moment voulu.

Observations :

— L'application des glacis à l'eau (et parfois à l'acrylique) sur un fond un peu gras, un peu brillant ou sur un glacis à l'huile demandera d'effectuer d'abord un dégraissage ; on frottera alors le fond à l'éponge, avec de l'eau et du blanc de craie mélangés.

— Certaines gouaches et aquarelles « fixées », diluées à l'eau, peuvent servir de glacis aux nuances très fines pour des travaux délicats et de surface réduite.

— Le principal avantage du glacis à l'huile est son séchage lent, permettant de travailler sans précipitation sur de grandes surfaces ou encore de retoucher un effet non satisfaisant dans les instants qui suivent, sans crainte de trace visible. Important : tout glacis à l'huile doit, une fois terminé, être recouvert d'un produit incolore de protection ; c'est bien souvent un vernis (voir « Protection des Décors »).

— Un litre de glacis couvre, en superficie, entre 20 et 24 mètres carrés. Les fonds préparés en peinture mate absorbent plus de glacis que ceux préparés en peinture satinée.

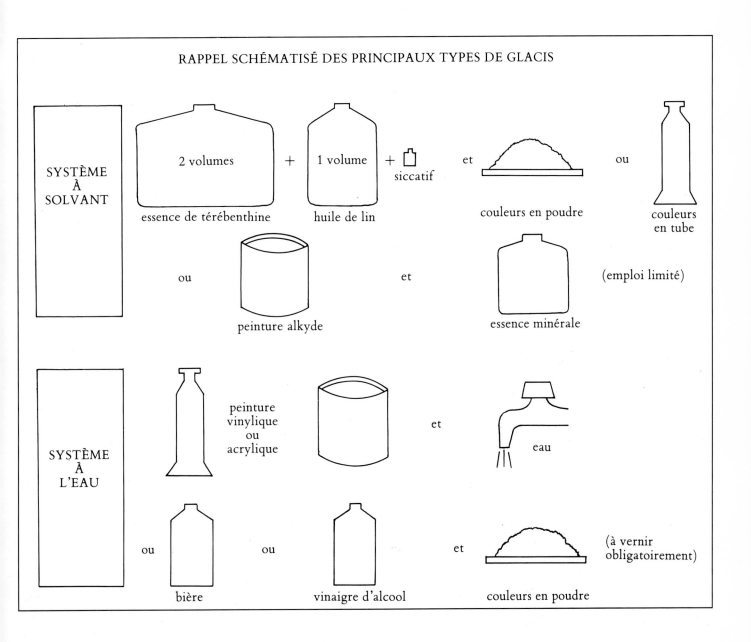

RAPPEL SCHÉMATISÉ DES PRINCIPAUX TYPES DE GLACIS

SYSTÈME À SOLVANT

2 volumes
essence de térébenthine

\+ 1 volume
huile de lin

\+ siccatif

et couleurs en poudre

ou couleurs en tube

ou peinture alkyde

et essence minérale

(emploi limité)

SYSTÈME À L'EAU

peinture vinylique ou acrylique

et eau

ou bière

ou vinaigre d'alcool

et couleurs en poudre

(à vernir obligatoirement)

PRÉPARATION DES SUPPORTS

LES TRAVAUX PRÉPARATOIRES

Les préparations des surfaces dites supports, résumées ci-dessous, sont communes à tous les travaux qui vont suivre. Les travaux préparatoires correspondent au premier nettoyage des supports.

Sur supports anciens :

— Les anciennes peintures à la colle et les badigeons poudreux se lavent à l'eau chaude et se grattent pour suppression totale.
— Les anciennes peintures à l'huile, ou glycérophtaliques mates, satinées et brillantes, se lessivent.
— Les anciennes peintures vinyliques ou acryliques se nettoient à l'eau (ainsi qu'avec un peu de détergent pour les endroits graisseux).
— Toutes les peintures désolidarisées du support, cloquées, faïencées, etc., se décapent et sont grattées pour une mise à nu.
— Toutes les surfaces couvertes de cires, vernis, plastifiants, anti-graffiti, sont à décaper sans chercher une mise à nu totale.
— Les revêtements collés sont à arracher et à gratter, avec lavage des traces de colle.

Sur supports neufs :

— Les enduits de plâtre, cloisons et carreaux de plâtre sont à égrener et épousseter.
— Les ciments bruts et les moulages en ciment sont à brosser.

— Les bois neufs et leurs dérivés (contreplaqués, lattés, agglomérés, panneaux de fibre) sont à épousseter. Il est recommandé de dégraisser les bois tropicaux avec un chiffon et du trichlore et d'isoler les traces de résine et les nœuds de bois résineux par une ou deux couches de vernis gomme laque.
— Les plaques et moulages en staff et les objets en terre cuite, albâtre ou pierre, doivent être poncés à l'endroit des grains ou des imperfections.
— Les supports lisses tels que les matières plastiques P.V.C., les stratifiés, carrelages, glaces, surfaces émaillées au four, etc. doivent être dégraissés au trichlore, rayés à l'aide de papier abrasif à l'eau et couverts d'une « couche d'accrochage spéciale » commerciale.
— Les métaux ferreux nécessitent l'application d'une peinture primaire antirouille, après un brossage selon l'oxydation visible.
— Les métaux non ferreux et alliages sont à dégraisser et à recouvrir d'une peinture primaire d'accrochage.

Observation :
Vérifier le bon choix des peintures primaires en lisant attentivement leur notice d'utilisation.

LES TRAVAUX D'APPRÊTS

Les travaux d'apprêts correspondent déjà à la mise en peinture par les impressions et à la bonne planéité des surfaces par les rebouchages, enduisages et ponçages.

Apprêts en système traditionnel, à solvant :

— Rebouchage des gros défauts (plâtre à modeler, enduit, reboucheur en poudre).
— Une couche d'impression universelle, généralement en blanc (peinture alkyde).
— Rebouchage des petits défauts (enduit mixte commercial, en pâte).
— Enduisage au couteau, selon l'état du support (même enduit).
— Ponçage au papier de verre fin et époussetage.
— Couches de fond avant décor (voir page 11).

Apprêts en système actuel, à l'eau :

— Rebouchage des gros défauts (plâtre à modeler, enduit, reboucheur en poudre).
— Rebouchage des petits défauts (enduit, reboucheur en poudre).
— Enduisage au couteau, selon l'état du support (même enduit, reboucheur).
— Ponçages, époussetage.
— Couche d'impression vinylique ou acrylique (facultatif).
— Couches de fond avant décor (voir page 11).
Observations :
Pour apprêter des moulures neuves ou anciennes, ou des parties courbes ou à relief (vasques, moulages), il est intéressant d'utiliser de l'enduit spécial s'appliquant à la brosse, s'égalisant bien au séchage, en une ou deux couches.
Quel que soit le système, il faut obligatoirement appliquer en guise d'impression :
— Une peinture hydrofuge pour les fonds humides ou salpêtrés.
— Une peinture primaire adaptée, pour les métaux bruts, oxydés ou neufs.
— Une peinture spéciale d'accrochage pour les supports lisses (énumérés page 14). Cette peinture peut aussi convenir pour accrocher sur des surfaces vernies qu'on ne souhaite pas décaper.

Sur des anciens fonds peints, non absorbants, l'action d'imprimer n'est pas obligatoire si les deux couches de fond à venir suffisent à masquer l'ancienne couleur. Dans le cas contraire, l'impression a principalement un rôle opacifiant.

MATÉRIEL

La brosserie, l'outillage et les fournitures énumérés ci-dessous correspondent à l'équipement nécessaire et suffisant pour réaliser tous les travaux décrits.

LA BROSSERIE

L'application des peintures unies servant de couches de fond de décor se fera avec les outils à peindre habituels :

— Gamme de brosses rondes ou plates (du type queue de morue) de différentes tailles.
— Rouleaux à peindre pour couvrir les grandes surfaces.
Utiliser des manchons de rouleaux en «laine synthétique courte» anti-gouttes pour les peintures émulsion du système à l'eau. Utiliser des manchons de rouleaux «laqueurs ou velours» pour les peintures laques alkydes du système à solvant.
À noter : L'emploi des rouleaux donne aux peintures un aspect «poché» ou «moutonné». Il est donc nécessaire d'égaliser la peinture posée en la lissant avec un spalter large de peintre, partie par partie (voir croquis n° 13, page 18). Tenir compte que certains décors demandent un fond poché, comme par exemple la fausse pierre. D'autre part, certains travaux courants, devant être vus avec du recul, se réalisent sur des fonds peints au rouleau sans lissage. Exemple : les façades décorées.

L'application des glacis pour décor et des vernis pour protection se feront avec les mêmes outils à peindre :

— Gamme de brosses rondes ou plates de différentes tailles, et aussi de brosses ovales spéciales pour vernissage (voir croquis n° 14, page 18).
Pour les produits du système à l'eau, on peut utiliser aussi de la brosserie en soie synthétique de qualité douce, s'usant bien moins vite sur les fonds rugueux par exemple.

La réalisation des travaux décoratifs demandera au minimum les brosses à décors suivantes :

— Brosse à patine (longueur 200 m/m).
— Spalters à décor (3 tailles).
— Brosses plates à tableaux (différentes tailles).
— Brosses à filets (en biseau n° 12 et 8, droite n° 12).
— Rondins (2 tailles).
— Queue à battre.
— Martres (carrée, taille moyenne-pointue, petite taille, en soie et en synthétique).
— Pinceaux doux.

ENTRETIEN DE LA BROSSERIE

Brosses à peindre les fonds :

— Pour les peintures du système à solvant, immerger chaque soir dans l'eau les brosses à peindre et les rouleaux.
Le lendemain, égoutter et rincer à l'essence avant nouvel emploi.
— Pour les peintures du système à l'eau, rincer à l'eau, tout de suite après emploi, les brosses et les rouleaux. Ensuite, les immerger dans l'eau pour le lendemain.

Brosses à décors :

— Pour le système à solvant, rincer les soies à l'essence, les laver au savon noir, rincer à l'eau et les conserver à plat.
— Pour le système à l'eau, laver les soies à l'eau savonneuse, rincer à l'eau tiède ou chaude et les conserver à plat.

Brosses à glacis et à vernis :

— Pour le système à solvant, les rincer à l'essence et les immerger dans un liquide (2/3 huile, 1/3 essence minérale) ; les rincer à l'essence avant nouvel emploi.
— Pour le système à l'eau, même nettoyage que pour les brosses à décors.

BROSSES À DÉCORS À USAGE PARTICULIER

— Blaireau (1) en poils de blaireau ; petit balai plat rectangulaire.
Utilisation : adoucir, mieux qu'avec le spalter, des effets colorés partiels placés dans un glacis (patines marbrées, fausse pierre nuancée, effet bois, nacre, etc.).
— Pinceau à chiqueter (2) en petit gris ; de forme ronde, ce pinceau en poils d'écureuil a un prix élevé. Différents diamètres.
Utilisation : réaliser de façon répétitive des granités en peinture colorée, petits et réguliers. Voir Patines jaspées, page 48 et Imitations granits, page 88.
— Brosses à caractères (3) et à l'orientale (4), en soies de porc ; différentes tailles.
Utilisation : réaliser les ornementations au pochoir ainsi que les lettres ou chiffres évidés, pour marquage — voir page 94.

NOMENCLATURE ET FORMES

1. Brosses rondes hermétiques (soies de porc) : brosse à main pour grandes surfaces, brosses de pouce de différents diamètres, quart de pouce à réchampir.
Utilisation : application des couches de fond (peintures unies), application des glacis (et des vernis). Ces brosses devront être réservées à cet usage.
2. Brosses plates « queue de morue » (soies de porc) : différentes tailles et épaisseurs de soies.
Utilisation : identique aux brosses rondes. À réserver pour petites surfaces, objets, etc. Peuvent jouer le rôle de spalters pour certains décors.

3. Brosse à patine (soies de porc).
Utilisation : pochage des glacis de patines ; permet d'obtenir des fondus très doux entre des nuances différentes, pochées dans le frais.
4. Queue à battre (soies mélangées, crin).
Utilisation : imitation du grain de certains bois en battant le glacis ; effets particuliers.
5. Spalters à décor (soies de porc).
Utilisation : égaliser les glacis étalés avec les brosses rondes, faire des effets dans les glacis (des spaltés ou ressauts, ondulations, moirés, rayures et adoucis).
6. Brosse à pocher (soies de porc) : brosse occasionnelle, non obligatoire.
Utilisation : pochage des peintures de fond pour obtenir un grain marqué.

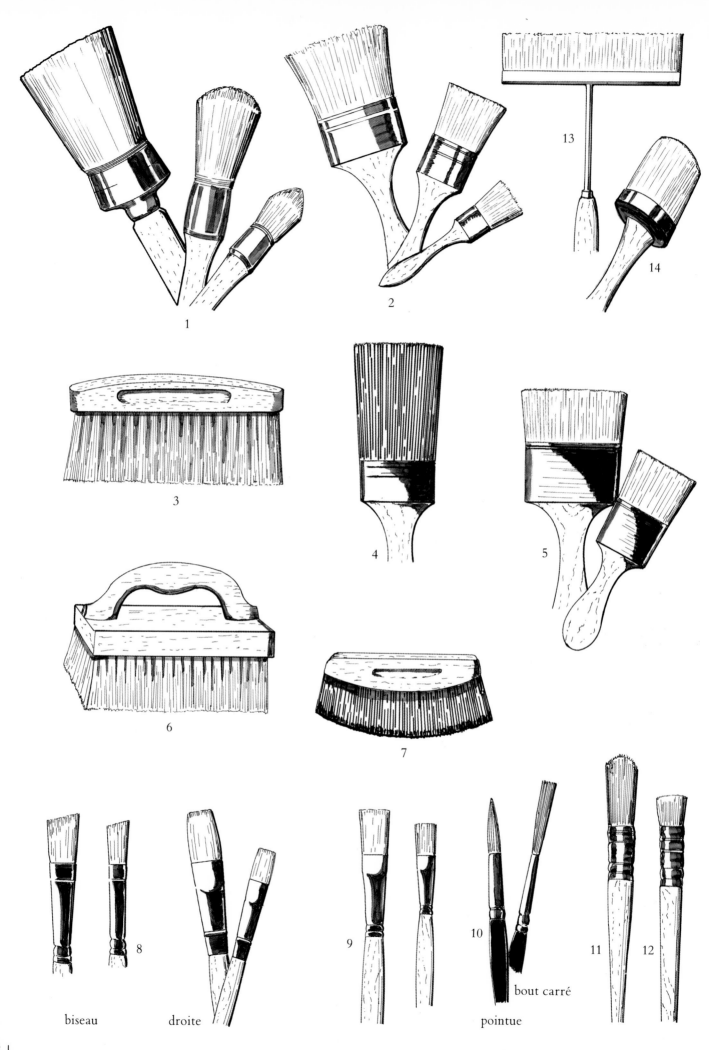

1

2

13

14

3

4

5

6

7

biseau

droite

8

9

10

bout carré

pointue

11

12

Pochage des glacis en grande surface (patines en plafond, ciels).

7. Brosse à épousseter (soies naturelles): permet le dépoussiérage des surfaces avant les applications.
Utilisation: époussetage, pochage de glacis de bronzes et patines sur petits éléments. Exemple: éléments en fer forgé.

8. Brosses à filets (soies de porc, martre ou synthétique) en biseau ou droites.
Utilisation: réalisation de filets droits à la règle (galons décoratifs, joints de pierres, filets d'ombre, fausse moulure).

9. Brosses plates à tableaux (soies de porc, martre ou synthétique): différentes tailles.
Utilisation: toutes applications partielles sur petites surfaces, nuançages, veinages de pierres, etc.

10. Martres (naturelle ou synthétique): différentes tailles, bout pointu ou bout carré façon brosse à lettres.
Utilisation: réalisation de filets sur parties courbes, joints de pierres sur moulures, sertis, ornements, etc.

11. Pinceaux doux (petit gris): pour application de bronze en poudre.

12. Rondins (petit gris).
Utilisation: fondre et dégrader des filets d'ombre portée ou de lumière, faire des adoucis minutieux par petit pochage.

13. Spalter le peintre; utilisation, p. 16.

14. Brosse ovale à vernir; utilisation, p. 16.

L'OUTILLAGE ET LES PETITES FOURNITURES

En complément des brosses à décors nécessaires qui seront nommées lors de l'explication de chaque travail, quelques outils et petites fournitures seront diversement utilisés:
— Une palette traditionnelle en bois et une en plastique.
— Quelques peignes en acier, à faux-bois (chêne).
— Un peu de toile de jute (fournitures pour tapissier).
— Des récipients métalliques pour les peintures et des seaux en plastique.
— Du papier de verre moyen et fin, et de l'abrasif à l'eau (n° 360 environ).
— Des rubans adhésifs «à masquer»: 9 mm, 19 mm, 25 mm et 50 mm pour la protection, les réchampis, les bordages, les joints de fausse pierre, etc. Pour éviter les bavures, les décoller toujours avant le séchage complet du produit qui les recouvre (peinture, vernis...).
— Une ou deux brosses à dents (soies plus ou moins dures).
— Crayon à mine sèche, craie et fusain pour les tracés préparatoires.
— Des boîtes de différents formats (genre boîtes de conserve, en fer blanc).
— Du papier fort ou du bristol pour la confection de pochoirs ou de gabarits.
— Un cutter pour les découpes.
— Du papier-calque pour les reports d'ornements ou la réalisation de poncifs.

Pour les patines:

— Des chiffons blancs en coton non pelucheux, pour les essuyages.
— Deux éponges naturelles, moyenne et petite, de forme arrondie.
— Une éponge végétale (grand format).
— Une éponge métallique ronde (genre éponge à récurer).
— Une peau chamoisée de taille moyenne.

Pour la fausse pierre:

— Un mètre, un niveau, des règles pour les différents traçages. Le cordeau (cordelette blanche tressée) est aussi très utile pour obtenir de grands traits rectilignes entre deux repères; on l'imprègne de poudre claire (blanc de craie, ocre jaune, mis dans un papier plié) avant de le tendre le long du mur à marquer.
— Des outils à patine pour les pierres colorées.

Pour le filage (filets décoratifs, joints de pierre, etc.):

— Une règle plate de 1,00 m, en bois blanc léger.
— Une règle plate de 0,50 m, en bois blanc léger.

Les découper dans une moulure commerciale bien droite, appelée champlat en menuiserie d'habillage. Choisir une largeur d'environ 35 mm par 5 mm d'épaisseur. Après un léger ponçage des arêtes vives de chaque règle, les imprégner de deux couches de vernis brillant (ou vernis gomme laque). Ce vernissage permet un essuyage aisé des traces de peinture pendant le travail.

— Un petit godet à teintes, fait d'une petite boîte ronde en fer blanc percée de deux trous pour constituer une anse avec un morceau de fil électrique. Pendant le filage, il pourra se placer au poignet, ou s'accrocher au revers ou à la pochette de son vêtement.

Entraînement au filage : s'exercer sur un papier ou une partie murale, en tenant les outils comme indiqué ci-dessous ; la règle est écartée du mur par les doigts (A) et prend appui sur le mur (B) ; procéder de même pour les filets verticaux (C).

Pour les autres effets décoratifs, on utilisera, selon le cas, les différents outils et fournitures déjà cités.

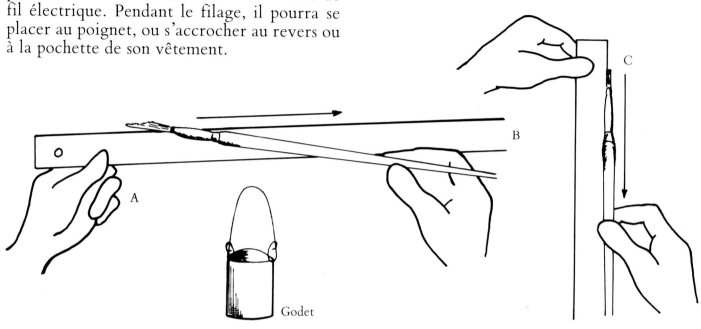

Godet

LES PRODUITS

Pour les couches de fond avant décors :

— Peintures laques alkydes satinées ou peintures acryliques satinées ; elles sont proposées en blanc et en couleurs (selon nuanciers).
— Colorants concentrés universels (flacons plastiques) pour teinter soi-même ces peintures ou modifier leur teinte, dans la limite des tons clairs.
— Essence minérale (white-spirit) pour la dilution des peintures alkydes, des impressions préalables et pour les nettoyages (taches, brosserie, etc.).
Cas particuliers :
— Emploi de peintures alkydes mates ou peintures vinyliques ou acryliques mates avant certaines patines (voir chapitre patines).
— Emploi de peintures alkydes mates, aspect poché, avant de la fausse pierre.

Pour les travaux de décors :

— Huile de lin, essence de térébenthine, siccatif liquide, pour constituer les glacis à l'huile.
— Couleurs en poudre pour colorer les glacis : terre d'ombre, naturelle et calcinée — terre de Sienne, naturelle et calcinée — laque carminée — terre de Cassel — bleu outremer — gomme gutte — laques jaunes — vert émeraude — ocre de ru — bleu minéral — vert anglais — blanc de zinc — stil de grain. Ces pigments sont recommandés pour leur transparence.
— Couleurs fines à l'huile, en tubes.
— Couleurs acryliques artistiques ou vinyliques, en tubes.
— Peintures alkydes, acryliques, vinyliques, en petit boîtage, qualité « décoration » ou « publicité peinte ».

Produits complémentaires divers :

— Bronzes en poudres, pour les effets métalliques.
— Vernis spéciaux :
à bronzer — mixtion — à l'alcool (copal ou gomme laque incolore) — vernis flatting — lavabiliseur dit «plastifiant».
— Cire blanche (en rondelles), cire teintée (en bâtons).
— Bière, vinaigre blanc, pour reglaçage à l'eau.
— Gouache, aquarelle en tubes, médiums, pour petits travaux délicats.

— Vernis de protection finale.
— Blanc de craie (dit blanc tamisé ou blanc d'Espagne), pour dégraisser des fonds gras avant application d'un produit à l'eau comme un glacis à la bière. Cette poudre peut aussi être rajoutée dans des glacis à l'huile pour leur donner plus de consistance et limiter les coulures, sans en modifier la coloration initiale.
— Crayons-marqueurs spéciaux (gouache ou liant vinylique) pour réaliser sans difficulté certains traits et petits filets colorés : joints de pierres, filets de marqueterie, etc.
— Savon noir en pâte pour le nettoyage des brosses à décors.

PRINCIPALES COULEURS EN POUDRE POUR COLORER LES GLACIS

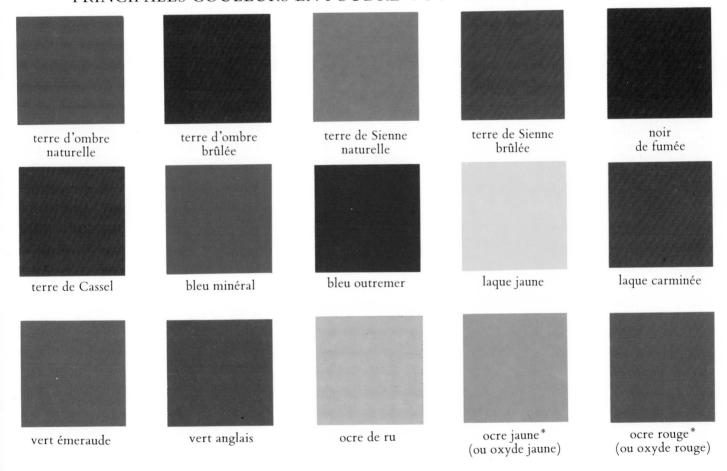

terre d'ombre naturelle	terre d'ombre brûlée	terre de Sienne naturelle	terre de Sienne brûlée	noir de fumée
terre de Cassel	bleu minéral	bleu outremer	laque jaune	laque carminée
vert émeraude	vert anglais	ocre de ru	ocre jaune* (ou oxyde jaune)	ocre rouge* (ou oxyde rouge)

Observations :
— L'ocre jaune et l'ocre rouge (marqués d'un astérisque) sont des pigments peu transparents mais leur coloris reste utile (en petit pourcentage) dans certaines imitations. Exemple : fausses briques, page 91.
— Les glacis à préparer pour des surfaces importantes (murs, boiseries, etc.), tout en recherchant une bonne qualité finale, peuvent être teintés avec les couleurs en poudre mises directement dans ces glacis. On obtient un

résultat homogène en mélangeant le tout avec une petite brosse de pouce.
— Pour des travaux plus minutieux (patines délicates, panneaux décoratifs, objets à finition vernie, etc.) les glacis sont teintés : soit avec ces poudres préalablement broyées à part sur une surface lisse, avec un couteau à broyer et un peu de glacis pour obtenir une pâte homogène, soit avec les tubes de couleurs fines (portant les mêmes noms) ; leur pâte sera incorporée au glacis à l'aide d'une brosse semblable.

PATINES

Dans le langage des peintres, le mot patine désigne une technique qui consiste à modifier, à l'aide d'un glacis coloré, le ton d'une peinture unie qui vient d'être faite, bien souvent dans le but de la vieillir artificiellement.

Partant de cette méthode simple — l'application d'un «jus teinté» sur un fond coloré différemment — on peut obtenir une quantité d'effets décoratifs, aboutissant à la classification suivante:

1 — PATINE DE VIEILLISSAGE

Cette patine traditionnelle, qui atténue les tonalités franches des peintures récentes, consiste à obtenir des parties ombrées. Ce résultat convient bien aux pièces d'habitation agencées en style comportant des colorations atténuées (meubles anciens, etc.).

Deux techniques, selon les surfaces à traiter:

— Vieillissage à un glacis: applicable aux petites surfaces, objets, reliefs, etc.

— Vieillissage à deux glacis: applicable aux grandes surfaces, plafonds, murs, etc.

2 — PATINE À LA CIRE

Cette patine colorée s'obtient en rayant la surface peinte avec des plaquettes ou bâtonnets de cire teintée.

Sur les boiseries, petit mobilier peint, etc., l'effet obtenu par les rayures et pointillés colorés donne un aspect tramé se mariant bien avec les textiles d'intérieur.

3 — PATINE «ANTIQUAIRE»

Cette technique particulière qui a pour but d'obtenir un aspect ancien authentique regroupe des patines portant différents noms: pochée, poussiérée, rayée, usée, grattée...

4 — PATINES DÉCORATIVES

Le principal objectif de ces patines n'est plus le vieillissage mais l'aspect décoratif personnalisé, bien résumé par le terme actuel, le matiérage.

Différents noms désignent aussi ces patines: de couleur, chiffonnée, épongée, nuagée, marbrée, jaspée.

Maîtrisant ces techniques, on peut aisément superposer différents procédés pour créer de nombreuses combinaisons décoratives.

Dans un ensemble, ces travaux ne seront harmonieux que si leurs teintes sont en accord avec l'environnement, d'où l'importance du ton des fonds et des glacis. Faire des essais avant le travail réel.

Dalle moulée (pour plafonds) faite avec deux tons en patine de vieillissage à un glacis, avec essuyage final des reliefs

PATINES DE VIEILLISSAGE À UN GLACIS

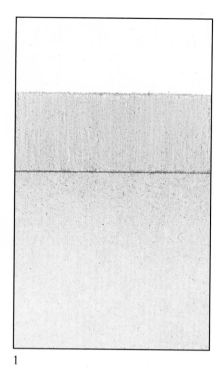

1

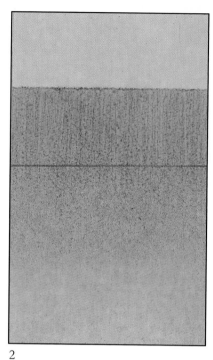

2

*Pour les patines de vieillissage,
il faut toujours respecter le principe
qui consiste à appliquer un glacis
de coloration froide et rabattue sur un fond
de coloration plus claire et plus franche.*

Ton de fond :
variable selon les accords colorés envisagés.
Brosserie :
brosses à glacis, spalters, brosses à patine.
Glacis : principalement les glacis à l'huile
mais possibilité de glacis acryliques
et à l'eau pour de petites surfaces.
Principaux pigments à utiliser :
Sienne naturelle (pour l'effet de jaunissement) —
ombre naturelle, terre de Cassel ou noir
(pour l'effet de salissure) —
et la couleur du ton de fond dominant.

Voir exemples ci-contre :
1. Glacis + Sienne naturelle + ombre naturelle
2. Glacis + Sienne naturelle + noir + pointe
de vert anglais.
3. Glacis + ombre brûlée + pointe de Sienne
naturelle.
4. Glacis + ombre naturelle + pointe de bleu
outremer.
Faire des essais sur le fond avec le glacis
coloré ; il faut le pocher
pour juger de la coloration réelle.

Méthode pour patiner les objets ou éléments comportant des reliefs :

3

4

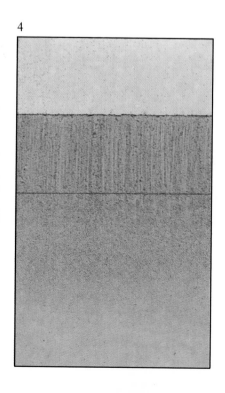

Rosaces, corniches, moulures, sculptures,
statuettes, ferronnerie, barreaux métalliques,
fuseaux de rampe, sièges, objets peints, etc.
a. Appliquer le glacis coloré
sur le fond peint plus clair.
Il faut parfois égaliser cette application
avec le spalter, en cas de coulures
ou pour garnir des creux,
des oublis dans les parties sculptées.
b. Réaliser des essuyages nets
sur les reliefs, les arêtes,
le milieu des parties plates existantes.
c. Adoucir au spalter, sur les parties unies,
la marque trop forte des essuyés.
d. Pocher l'ensemble à la brosse à patine,
jusqu'à obtenir un grain fin régulier.
Finir par des essuyés étroits et très nets
sur le sommet des reliefs et arêtes.
Reculer en fin de travail,
pour juger de l'effet d'ensemble.

Observations :
Sur de petits reliefs, après les essuyés,
le pochage peut-être obtenu en «piquant»
verticalement le glacis avec le bout des soies
d'un petit spalter.
Pour des travaux rapides,
sur barreaux métalliques par exemple,
le pochage peut être fait
avec une brosse à épousseter
(en soies naturelles mélangées).

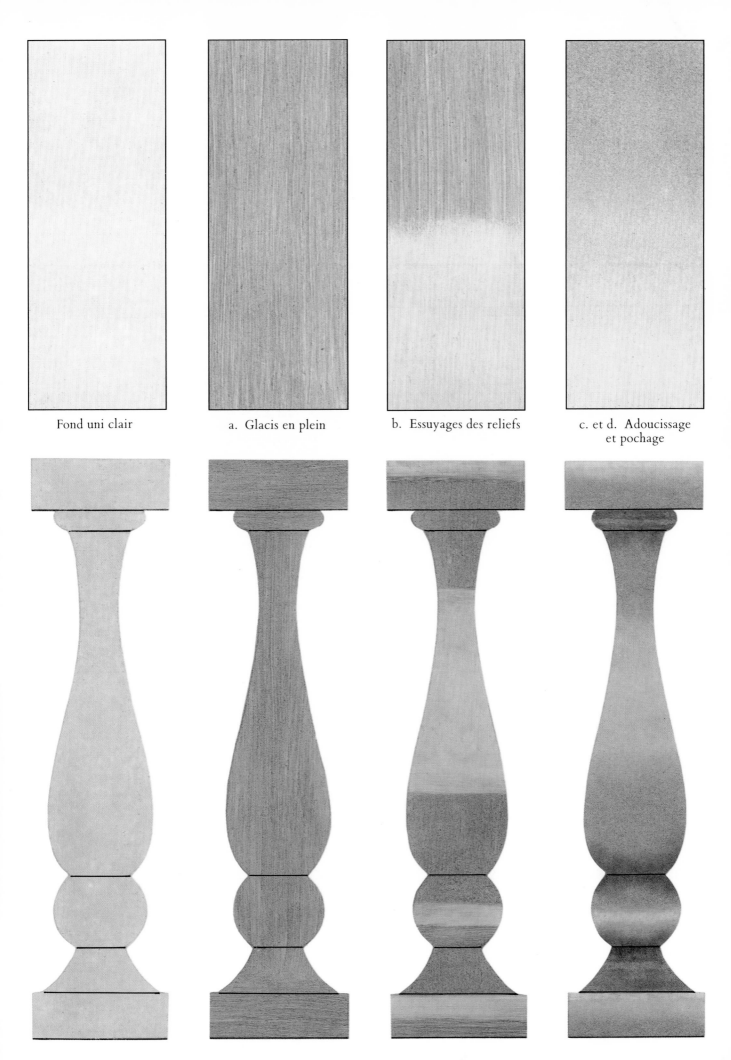

Fond uni clair

a. Glacis en plein

b. Essuyages des reliefs

c. et d. Adoucissage
et pochage

Méthode pour patiner des panneaux et boiseries de petites surfaces :

portes à cadres moulurés, petits lambris, soubassements, fenêtres, mobilier peint, etc.
(Emploi de glacis à l'huile principalement, car il laisse du temps pour travailler, fondre et pocher l'ensemble).

a. Appliquer le glacis coloré sur le fond peint plus clair. Égaliser et lisser cette application avec la brosse ou le spalter large, sans surcharges dans les moulures et reliefs.

b. Essuyer régulièrement le glacis
dans le milieu des panneaux, le milieu des chants, la moitié haute des plinthes, la gorge arrondie des corniches, etc. sans trop appuyer et sans chercher à retrouver le ton initial de la peinture de fond.
Laisser volontairement une largeur de glacis intact (en pointillé ci-dessous)
au pourtour des panneaux et de leurs moulures.
c. Adoucir à la brosse ou au spalter la jonction entre parties essuyées et parties glacées.
d. Faire le pochage de ces endroits adoucis et des autres parties non essuyées.

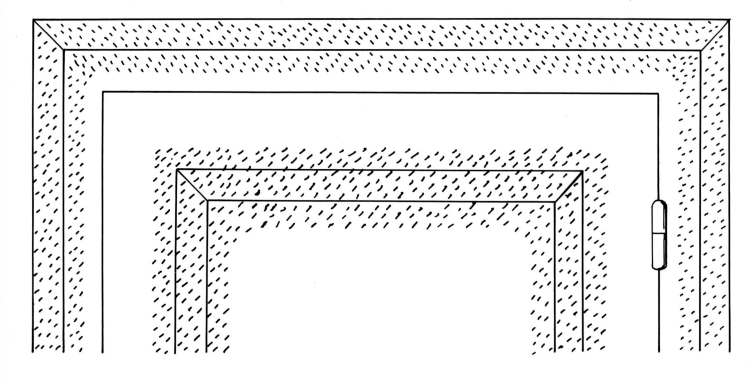

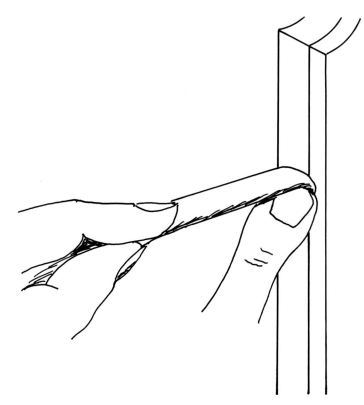

OBSERVATIONS :
— Pour l'essuyage des surfaces plates et unies, utiliser un chiffon blanc en coton plié à plat.
— Pour l'essuyage des arêtes, des sommets de moulures et de sculptures, utiliser une bandelette de même tissu tenue selon le schéma ci-contre.
Ceci permet des essuyés nets en modifiant fréquemment la position dès que le tissu est imbibé de glacis.

a. Glacis en plein

c. Adoucissage en limite des parties essuyées

b. Essuyages

Technique de base du vieillissage d'un panneau, à un glacis

d. Pochage final

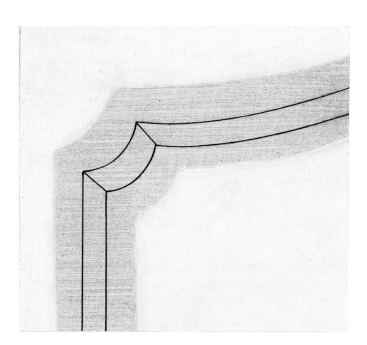

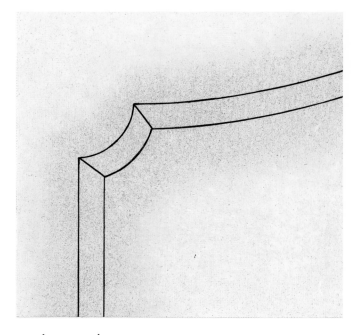

Exemple pour un panneau courbe et ses chants

PATINES DE VIEILLISSAGE À DEUX GLACIS

*Le vieillissage précédent repose surtout
sur une technique d'essuyage qui ne laisse
du glacis que dans les parties creuses
et les pourtours de panneaux.*

*Le vieillissage à deux glacis se distingue par :
L'utilisation et l'application d'un glacis clair
sur toute la surface, évitant ainsi des essuyages
importants puisqu'il laisse apparaître le fond peint.
L'utilisation d'un deuxième glacis plus sombre,
appliqué en surcharge sur les endroits à ombrer.*

*Méthode pour patiner des surfaces de moyennes
et grandes dimensions :*

Plafonds, murs, lambris, meubles, piliers, etc.
(L'emploi de glacis à l'huile est nécessaire pour mener à bien
ces travaux longs et importants).

a. Appliquer le premier glacis clair sur tout l'élément
à traiter (mur par mur, porte par porte, etc.)
b. Pocher l'ensemble à la brosse à patine
en laissant les endroits à ombrer.
c. Appliquer le deuxième glacis plus sombre sur une largeur
constante et régulière le long du périmètre du mur
ou du panneau, et en suivant parallèlement
les contours des moulures existantes.
d. Réaliser le fondu entre les deux glacis
en pochant leur jonction et les endroits ombrés.
Finir par des essuyés nets sur les reliefs et les arêtes
(opération non désignée dans les exemples ci-contre traités
en aplat).

OBSERVATIONS :
— Il faut prévoir un récipient et un jeu de brosses destinés
à chaque glacis séparé.
— La principale difficulté du pochage final
est de ne pas ramener du glacis sombre
sur les parties glacées en clair.
Pour cela, il faut réserver une extrémité de la brosse à patine
pour pocher uniquement la jonction claire
et l'autre extrémité pour la jonction côté foncé.
— Lors des pochages de glacis,
essuyer de temps en temps le bout des soies de cette brosse
avec un chiffon sec (sans l'humecter d'essence).

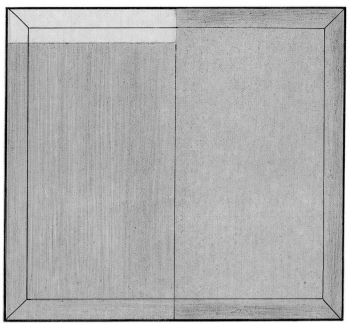

a. Application
du glacis clair

b. Pochage

c. Application
du glacis sombre

d. Pochage en limite
des deux glacis

Exemple d'une porte à cadres

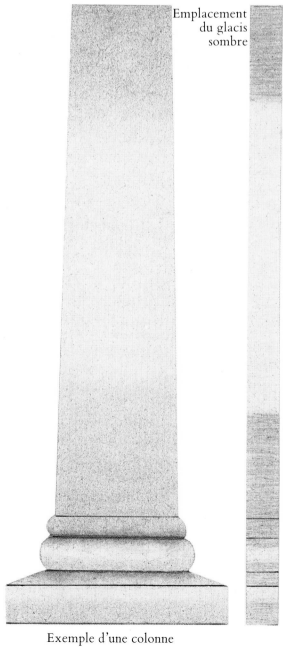

Emplacement
du glacis
sombre

Exemple d'une colonne

PATINE DE VIEILLISSAGE À DEUX GLACIS — VARIANTES

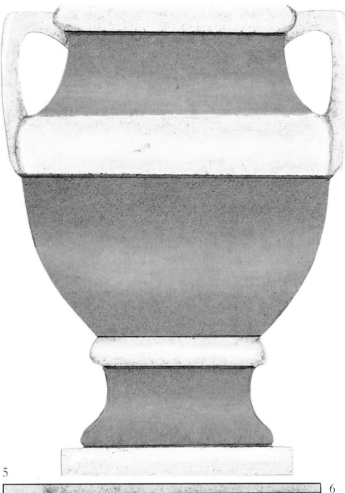

*En variant le ton des fonds et le ton des glacis,
il est possible de créer des coloris différents
sur de mêmes éléments, sur de mêmes objets,
et mettre ainsi certaines parties en évidence (5).*

EXEMPLE 1
Les tons de fond (de même gamme) diffèrent par leur degré
clair ou foncé. Le glacis est unique pour l'ensemble.

EXEMPLE 2
Le ton de fond est unique pour l'ensemble.
Les glacis sont différents.

EXEMPLE 3
Le ton de fond unique est rehaussé de parties réchampies
en blanc. Le glacis est unique pour l'ensemble.

EXEMPLE 4
Les tons de fond sont différents.
Les glacis adaptés aux fonds sont différents.

À noter:
sur les reliefs des moulures,
des essuyages très nets de glacis donnent l'effet de filets
(blancs ou colorés selon le ton initial du dessous). (3)

5

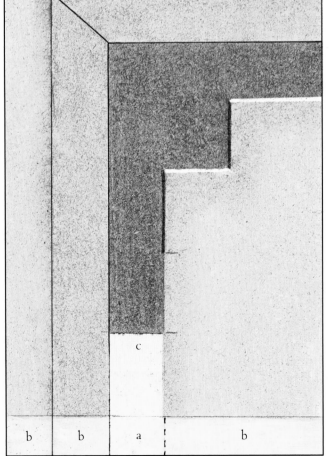

6

c

d

c

b	b	a	b

Ton de fond | Plate-bande | Tracé table saillante

EXEMPLE 6
Façon d'une fausse table saillante par glacis ombré,
dans un panneau

a. Sur la peinture de fond, tracer légèrement
le pourtour d'une table saillante à l'intérieur du panneau.
b. Réaliser une patine normale sur l'ensemble,
y compris les moulures plus ombrées,
en réservant uniquement la «plate-bande» étroite
entre moulures et tracé.
On peut masquer ses limites en plaçant du papier adhésif.
c. Après séchage de la patine, appliquer un glacis légèrement
plus foncé sur ces plates-bandes;
faire son pochage sans déborder.
d. Finir en effectuant des filets d'ombre et de lumière,
pour créer le relief et délimiter nettement le tracé initial
à la jonction des deux glacis.

OBSERVATIONS:
— Le fait d'adoucir les filets du côté extérieur
donnera l'effet de tables dont l'épaisseur est arrondie.
— On peut tracer des tables saillantes
comportant des parties galbées.

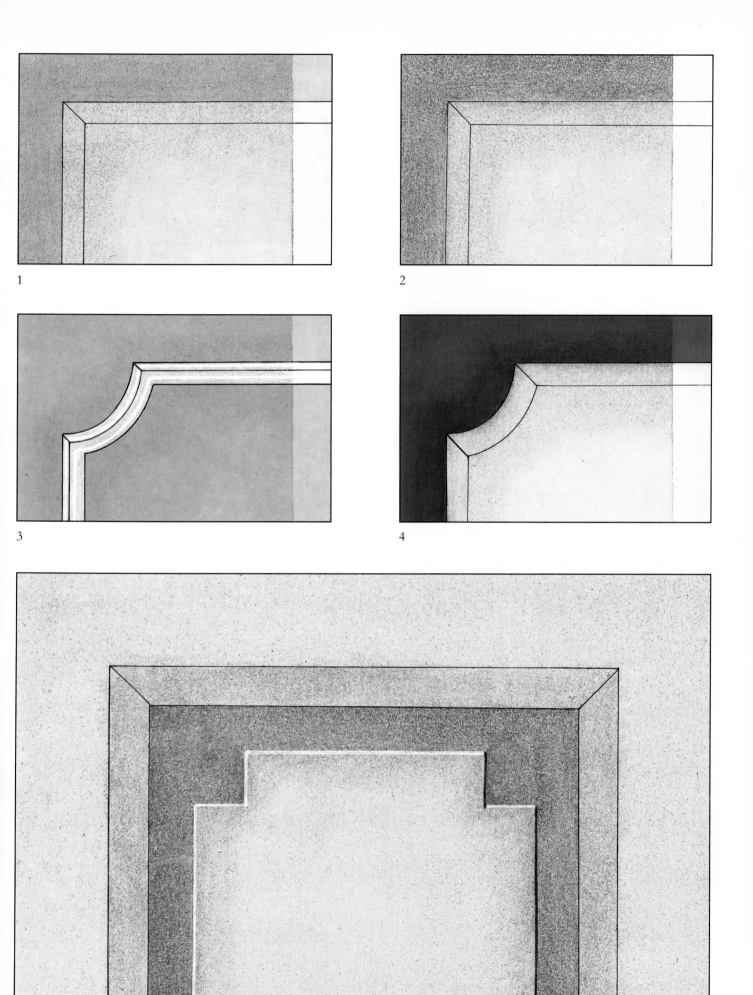

3

4

6

Fausse table saillante

PATINES À LA CIRE

Plaquettes confectionnées et bâtonnets commerciaux

*Ce travail s'apparente à un crayonnage coloré;
il est obtenu en frottant la surface peinte
avec des morceaux de cire teintée.
Deux aspects sont possibles :
un aspect crayonné si le fond est préalablement peint
en lissant fortement la peinture
à l'aide des brosses à peindre.
Un aspect pointillé, si le fond est préalablement peint
en pochant la peinture avec un rouleau
ou à l'aide d'une brosse à pocher.*

CONFECTION DES PLAQUETTES DE CIRE

Découper le fond d'une petite boîte de conserve
pour ne garder que l'entourage circulaire
qui sera graissé de savon noir.
Placer ce moule sur une surface lisse (verre ou métal)
et le maintenir à sa base extérieure
par un cordon de mastic de vitrier.
Casser en petits fragments une rondelle de cire blanche
(produit vendu en plaquettes rondes).
Placer ces fragments dans un récipient métallique
et faire chauffer sur un réchaud.
Verser simultanément un peu de cire et de pigments colorés
dans le moule, en mélangeant bien avec un bâtonnet.
Pour cette opération il est utile de se faire aider.
Une ou deux heures après,
démouler la plaquette de cire colorée

1

Fond lissé   Un crayonnage   Plusieurs crayonnages

FAÇON PATINE CRAYONNÉE : (1)

Rayer à plat chaque élément dans le sens de son lissage,
à l'aide d'une plaquette de cire.
Pour ces travaux, il est recommandé de peindre les fonds
en peinture mate vinylique ou acrylique
(ou encore en peinture mate alkyde ordinaire
conçue pour application au rouleau).

FAÇON PATINE POINTILLÉE : (2)

Traîner doucement et à plat la cire colorée sur le sommet
des grains du pochage pour obtenir des points colorés.

2

Fond   Cire teintée   Cire métallisée dorée

OBSERVATIONS :

On peut acheter des bâtonnets de cire teintée
mais la gamme de couleurs est limitée.
Si l'on souhaite rajouter un travail sur une patine à la cire
(nouveau glacis pour coloration supplémentaire,
pour effet de table saillante, etc.),
il est recommandé de fixer d'abord cette patine
par une couche de vernis lavabilisateur.

*Panneau bois mouluré
traité en patine crayonnée, à la cire,
avec fausse plate-bande et ornement au pochoir, renuancé*

PATINES ANTIQUAIRE

L'objectif principal des patines antiquaire est d'obtenir une surface salie et usée, une apparence ancienne. Les techniques qui suivent permettront ce résultat; elles peuvent de plus être conjuguées.
Ces travaux se réalisent surtout sur mobilier, boiseries, murs lambrissés, objets anciens.

FAÇON POCHÉE, POUSSIÉRÉE :

Appliquer en plein un glacis un peu sombre
en chargeant plus les creux et les pourtours moulurés.
Faire un pochage général pour obtenir un grain fin.
Possibilité de souffler ou déposer un peu de poudre grise
sur le glacis, avant son séchage complet.
Pigments à mélanger : blanc de zinc, ombre naturelle, noir.

FAÇON RAYÉE USÉE :

Appliquer un glacis (comme ci-dessus) sur un fond lissé
assez fortement à la brosse à peindre.
Rayer le glacis au spalter couché ou à la toile de sac.
Le glacis sec, user les reliefs et les arêtes,
à l'aide de papier abrasif ou d'un chiffon imbibé de trichlore,
en contrôlant ces enlevés.

FAÇON GRATTÉE :

Sur le fond peint, appliquer successivement
deux ou trois couches de peinture de coloris différents,
en respectant le séchage entre chaque couche.
Utiliser de préférence des peintures à la caséine (en pots)
que l'on trouve en fournitures Beaux Arts.
Gratter ensuite ces peintures avec de la paille de fer
ou avec un tampon métallique (à récurer).
Insister plus ou moins selon l'effet recherché.
Faire un lustrage final avec un chiffon de laine
ou une peau de mouton.

OBSERVATIONS :

Pour teinter ces glacis, respecter le même principe
de coloration que pour les patines de vieillissage.
Il est parfois intéressant d'effectuer, pour finir,
quelques spitcés comme petites taches
brunes, très sombres.

PATINES ANTIQUAIRE (suite)

1

Il est moins aisé et moins fréquent de vouloir vieillir
de façon exagérée de grandes surfaces murales,
des grands panneaux ; les patines traditionnelles
de vieillissage suffisent pour cela.
Par contre, les exemples qui suivent peuvent servir
à mettre en valeur les cadres de panneaux,
les moulurations, les objets sculptés, etc.

EXEMPLE 1

Peindre le fond en ton clair ou moyen,
rabattu à l'ombre naturelle (ici, blanc, oxyde jaune,
ombre naturelle et pointe de rouge).
Appliquer en plein une peinture foncée assez fluide
(ici, vert soutenu) ; essuyer fortement tous les reliefs
à la toile de jute ou au chiffon rude.
Appliquer partiellement, avec une brosse plate à tableaux,
un glacis sombre dans les creux de moulures, etc. ;
faire son pochage ensuite avec un spalter ou un rondin
selon l'importance du travail. Possibilité de finir par un filet
sec en glacis plus couvrant, de coloration rabattue.

2

EXEMPLE 2

Peindre le fond en rouge de mars
(ou oxyde rouge plus une pointe de chrome orangé)
qui est, en dorure à l'eau,
le ton de «l'assiette» servant de couche d'apprêt
avant la pose des feuilles d'or.
Appliquer en plein une peinture couvrante (ici, bleutée).
Réaliser une patine de vieillissage sur l'ensemble.
Ensuite, faire réapparaître le fond rouge sur les arêtes
et reliefs en les usant à l'aide de papier abrasif.
On peut aussi obtenir ce résultat
en essuyant partiellement la peinture couvrante précédente.
Finir par des traces de bronze or près des reliefs.

3

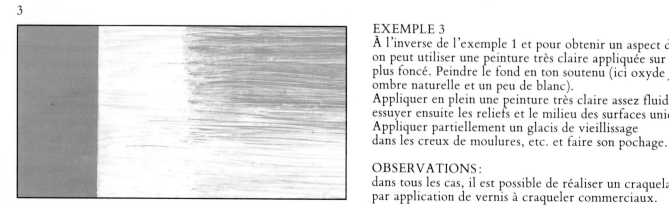

EXEMPLE 3

À l'inverse de l'exemple 1 et pour obtenir un aspect délavé,
on peut utiliser une peinture très claire appliquée sur un fond
plus foncé. Peindre le fond en ton soutenu (ici oxyde jaune,
ombre naturelle et un peu de blanc).
Appliquer en plein une peinture très claire assez fluide ;
essuyer ensuite les reliefs et le milieu des surfaces unies.
Appliquer partiellement un glacis de vieillissage
dans les creux de moulures, etc. et faire son pochage.

OBSERVATIONS :

dans tous les cas, il est possible de réaliser un craquelage final
par application de vernis à craqueler commerciaux.

PATINES DÉCORATIVES DE COULEURS

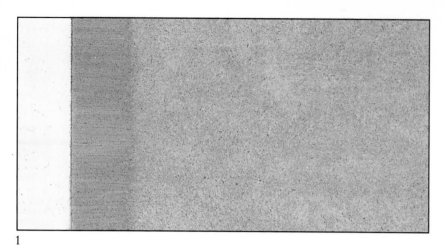

1

Ce travail consiste à appliquer un glacis coloré sur un fond de couleur différente, dans le but d'obtenir par transparence un « jeu de fond » décoratif, bien souvent par l'emploi de coloris vifs ou de tonalités franches.

2

PRINCIPE DE BASE

Appliquer le glacis en plein régulièrement. Faire un pochage général à la brosse à patine jusqu'à obtention d'un grain uniforme succédant aux traces d'application.

Exemples : selon les harmonies recherchées, les fonds peuvent être

1. Blanc.

2. Colorés en tons clairs.
Dans tous les cas, pour créer des zones plus colorées, certaines parties ou pourtours de panneaux peuvent être surchargés de glacis et pochés moins fortement.

3. De couleur vive.

4. Colorés en tons foncés.
Dans ce cas l'effet décoratif sera souvent obtenu par l'emploi d'un glacis clair, en opposition à un fond sombre. L'application de glacis très clairs sur fonds très colorés est aussi à la base d'autres résultats — voir patine antiquaire « grattée » et effet « cérusé ».

5. L'application de deux ou trois glacis colorés occupant chacun une bande horizontale précise permet des changements de coloration très doux grâce au pochage général et aux fondus obtenus dans le frais à leur jonction.

3
4

OBSERVATIONS :
Une peinture diluée peut remplacer le glacis traditionnel, mais il faut bien tenir compte de son séchage plus rapide.

2   3   4

5

PATINES DÉCORATIVES ÉPONGÉES

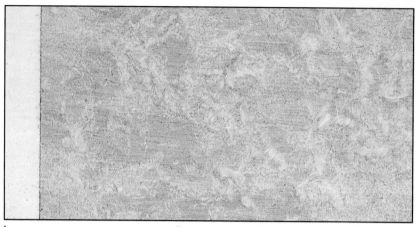

Ce travail consiste à pocher régulièrement le glacis avec une éponge ou encore à promener cette éponge dans le glacis selon les traces que l'on souhaite y laisser. Suivant les mouvements et la force d'appui, on obtient des effets différents.

1   En ton sur ton

FAÇON POCHÉE : (1, 2)
Appliquer le glacis en plein.
Pocher la surface régulièrement
avec une éponge naturelle humidifiée ;
les marques seront plus nettes dans un glacis
à l'eau que dans un glacis à l'huile.
Garder le même geste répétitif
et un même côté de l'éponge.
Selon la surface à traiter, agir rapidement
avant un début de séchage du glacis.

2   En opposition de ton

VARIANTES :
Exemple «marqué», par emploi d'un glacis
plus consistant (plus chargé en pigments). (3)

Exemple «tamponné» par l'emploi
d'une éponge végétale plate. (4)

3

4

OBSERVATIONS :
La façon pochée donne un résultat très doux
et très discret,
principalement par l'emploi de glacis
proche du ton de fond.
Une peinture vinylique ou acrylique
convient bien pour ces enlevés à l'éponge.

PATINES DÉCORATIVES CHIFFONNÉES

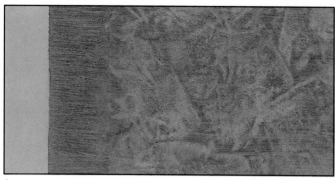

1

Ce travail consiste à promener ou à rouler un chiffon froissé dans un glacis fraîchement appliqué; ceci provoque des enlevés laissant apparaître le coloris de fond.
Selon la nature et la trame du chiffon choisi, la douceur ou la rudesse de la main, on obtient des effets variés.

PRINCIPE DE BASE: (1)
Appliquer en plein un glacis coloré
(généralement proche du ton de fond.)
Poser en partie haute de la surface un chiffon (roulé un peu en cylindre) et le rouler dans le glacis, vers le bas, en s'aidant du bout des doigts des deux mains.
Garder le même chiffon pour chaque partie délimitée.

Position des doigts pour dérouler

2

FAÇON CHIFFONNÉE, «MARQUÉ»: (2)
À obtenir par un appuyage plus important.

3

FAÇON CHIFFONNÉE, «TAMPONNÉ»: (3)
Cette façon de pocher le glacis avec un chiffon doux (tenu en forme de boule) donne un grain très fin.

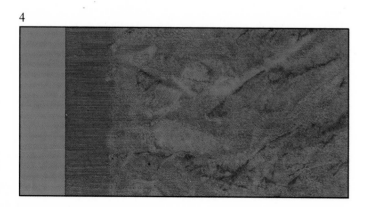

4

FAÇON CHIFFONNÉE, «PEAU DE DAIM»: (4)
Utiliser un chiffon épais froissé pour créer des plis et des reflets. (Le coloris daim naturel sera proche du grand panneau à droite, p. 43).

OBSERVATIONS:
Lorsqu'on emploie des glacis à l'eau, on peut humidifier les chiffons.
Les glacis frappés ou marqués par une peau de chamois humide donnent aussi des effets intéressants.

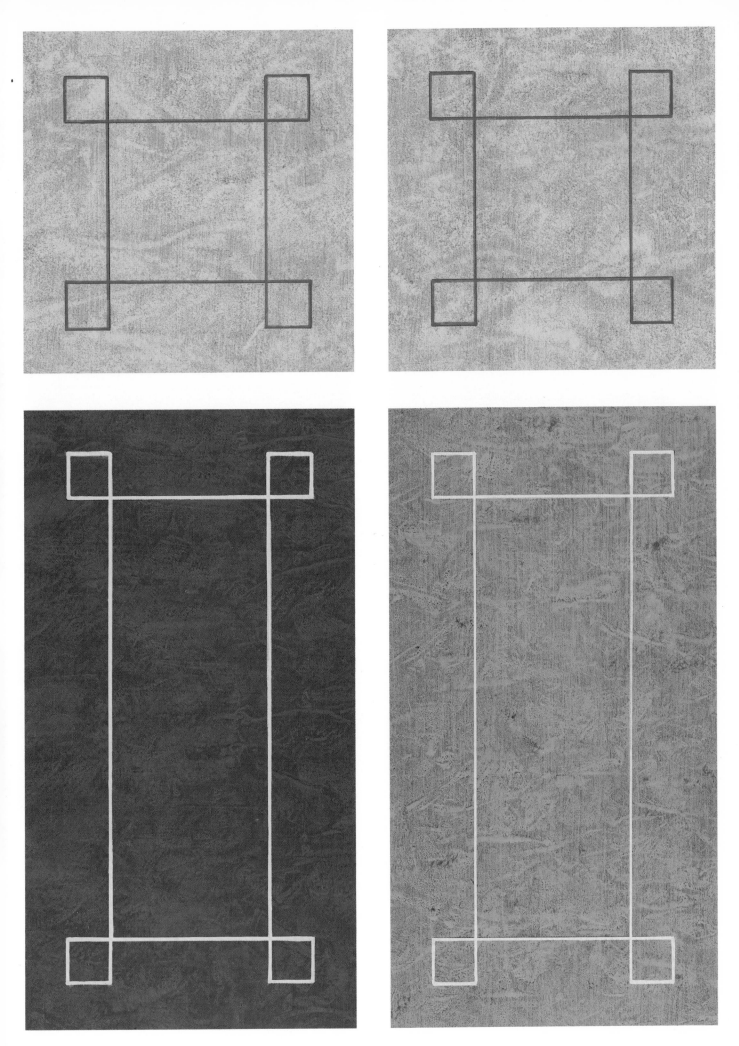

PATINES DÉCORATIVES NUAGÉES

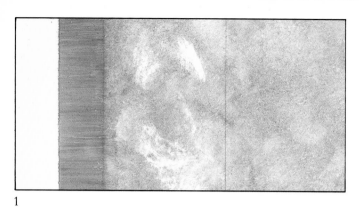

1

Ce travail permet d'obtenir un aspect final nuageux grâce à des masses un peu sombres et d'autres plus claires. L'aspect doux et agréable est obtenu par le pochage final. Si l'on adopte des tons bleus, on s'approche des imitations « ciels » à caractéristique neutre.

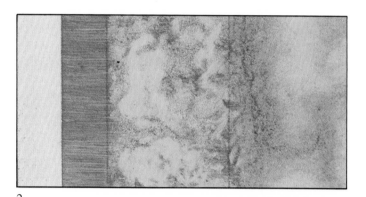

2

FAÇON CIEL: (1)
Appliquer en plein un glacis bleu sur le fond préparé en blanc.
Essuyer ce glacis au chiffon par endroit, de façon arrondie et dispersée.
Pocher l'ensemble à la brosse à patine.

FAÇON NUAGÉE SIMPLE: (2)
Appliquer en plein un glacis coloré (généralement proche du ton de fond).
Faire des enlevés au chiffon, de façon répétitive.
Pocher l'ensemble à la brosse à patine.

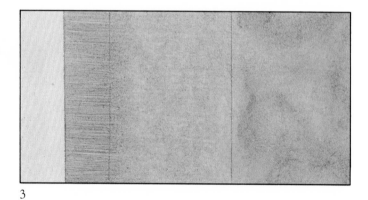

3

FAÇON NUAGÉE À DEUX GLACIS: (3)
Appliquer en plein un glacis peu coloré et proche du ton de fond; faire un premier pochage général.
Rapporter par endroit un deuxième glacis plus coloré.
Faire le pochage de ces endroits reglacés.

FAÇON NUAGÉE PAR GLACIS CLAIR: (4)
Appliquer en plein un glacis plus clair que le fond (et comportant donc souvent du blanc).
Faire des enlevés au chiffon, de façon répétitive.
Pocher l'ensemble à la brosse à patine.

4

OBSERVATIONS:
Pendant le pochage, on peut à tout moment intervenir au chiffon pour des modifications.
Juger l'ensemble de temps en temps, en prenant du recul.

Nuagé sur plafond avec effet de coupole
Nuagés à coloris multiples pour échantillonnage

PATINES DÉCORATIVES MARBRÉES

Cette appellation désigne un travail décoratif comportant des veinages simples et adoucis rappelant un peu l'imitation des marbres, sans recherche particulière.
Ces marbrures irréelles devront être peu marquées pour ne pas créer une confusion entre cet effet coloré et l'imitation pure d'un marbre répertorié.

FAÇON VEINÉE SIMPLE :
Appliquer en plein un glacis légèrement teinté, proche du ton de fond.
Faire un pochage général.
Placer quelques veines à la brosse plate à tableaux.
Les adoucir au petit spalter et les atténuer par un pochage.

FAÇON MARBRÉE SIMPLE :
Appliquer en plein un glacis incolore ou peu teinté.
Placer un réseau de veines se raccordant entre elles, de façon large et variée.
Fondre ce veinage avec un petit spalter.
Appliquer partiellement, dans les espaces libres, un glacis peu coloré.
Atténuer l'ensemble par un pochage.

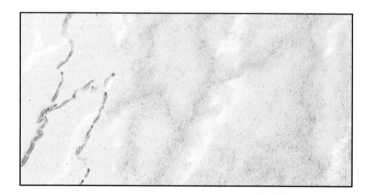

FAÇON MARBRÉE, À PLUSIEURS NUANCES :
Agir comme pour la façon marbrée simple.
Appliquer en plus un glacis blanc partiel et faire aussi son pochage.
Quelques touches d'une troisième nuance discrète peuvent être appliquées en plus.

FAÇON BRÉCHÉE, CAILLOUTÉE :
C'est le moyen d'incorporer à son travail un graphisme plus élaboré.
Le réseau caillouté ne subira pas de pochage.

OBSERVATIONS :
Les veinages et marbrures seront faits de glacis et de couleurs à l'huile, ou encore de couleurs acryliques seules.

Panneaux, chants et plinthes : premier glacis dépouillé à l'éponge ou au chiffon
avec pochage final puis veinage partiel en glacis blanc adouci et poché
Colonnes : patine marbrée à plusieurs nuances

Projets pour décoration murales en patines marbrées

Panneaux : méthode identique aux panneaux ci-dessus —
Chants et plinthes : premier glacis général coloré, poché à grain fin ;
veinages partiels plus ou moins marqués
Colonnes : méthode identique aux colonnes ci-dessus

PATINES DÉCORATIVES JASPÉES, GRANITÉES

1   Plus coloré que le fond   Plus clair que le fond

Ce travail consiste essentiellement à tamponner le support avec une éponge chargée de peintures (ou de glacis) de différents coloris.
C'est donc le seul procédé basé sur un apport de matière et non pas sur un enlevé de matière.

Beaucoup d'effets sont possibles :
— *superposition de taches colorées*
— *jaspés larges*
— *granités fins.*

FAÇON JASPÉE SIMPLE : (1)
Préparer une peinture fluide colorée en bon accord avec le fond peint ; en mettre un peu sur un couvercle plat et imprégner légèrement de peinture la face d'une éponge naturelle par ce moyen.
Tamponner une seule fois la surface avec l'éponge et répéter le geste en déplaçant régulièrement la main.
Recharger l'éponge sur le couvercle de temps en temps.

2   Jaspé   2ᵉ et 3ᵉ jaspés

FAÇON JASPÉE, PLUSIEURS COLORIS : (2)
Réaliser le premier jaspé simple.
Faire ensuite les autres coloris, en respectant de préférence le séchage de chacun.

FAÇON GRANITÉE, GRAINS MARQUÉS : (3)
L'exemple ci-contre est traité en camaïeu, et consiste à utiliser deux ou trois coloris issus de la même gamme de tons que le fond initial.

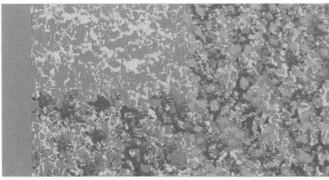

3   Granités (clair et foncé)   Granité moyen

FAÇON GRANITÉE, GRAINS FINS : (4)
Utiliser dans ce but des peintures plus fluides, des éponges plus compactes. Un tampon arrondi en chiffon épais donnera un résultat semblable.

4   Granité au chiffon

OBSERVATIONS :
Les peintures acryliques et vinyliques sont très pratiques pour réaliser ces effets jaspés.

Panneau mural jaspé, ton parchemin ;
entourage en granité chamois
Soubassement (camaïeu) avec patine jaspée blanc cassé,
patine granitée deux tons et entrelacs unis

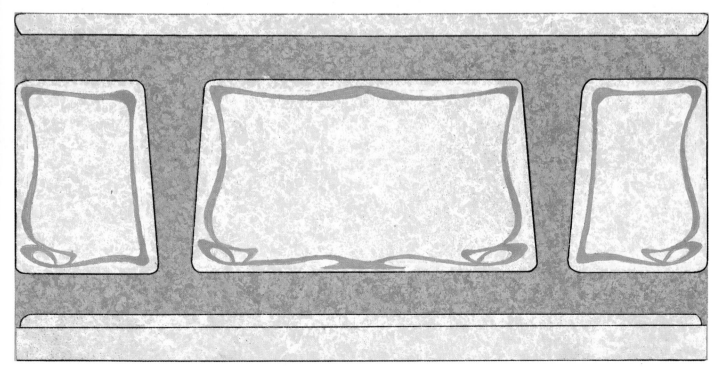

FAUSSE PIERRE

Imiter la pierre sous différents aspects correspond à de multiples utilisations :
— La façon «pierre de taille» d'emploi traditionnel pour hall d'entrée, cages d'escaliers, vestibules, pièces d'habitation en décor sobre, voûtes, cheminées monumentales, etc.
— La façon «pierres diverses» de formes et coloris variables, pour salles communes de style rustique, intérieurs de maisons de campagne, murets de séparation ou objets, moulages, etc.
— La réalisation d'appareillages de pierres appliquées au trompe-l'œil pour fresques murales, décors de scène, éléments d'architecture à créer, etc.

LA FAÇON PIERRE DE TAILLE :

Cette méthode courante dite «coupe de pierre» découle de la stéréotomie, qui est la manière d'assembler des pierres taillées selon une géométrie bien définie, appliquée à la construction.
On obtient cet effet en traçant au crayon l'appareillage des pierres sur un fond de peinture de coloration unie et en réalisant sur ce tracé un filet étroit de peinture représentant les joints. La coupe de pierre est donc principalement basée sur un travail de filage à la règle et à la brosse.
Pour un aspect plus réel et plus décoratif, un nuançage de chaque pierre est réalisable avant le filage des joints.

LA FAÇON PIERRES DIVERSES :

Cette méthode consiste aussi à tracer au crayon, sur un fond de peinture unie, la forme des pierres selon son choix (ou les esquisser au fusain, à la craie) et à les mettre en couleur par différents moyens. Ceci permet d'imiter toute une gamme de pierres allant de celles aux caractéristiques précises comme la meulière jusqu'aux moellons bruts sans coloris bien définis.
La mise en couleur terminée, on réalise les joints sur le tracé toujours visible, soit de façon rectiligne, soit de façon sinueuse selon les appareillages choisis.

LES APPAREILLAGES DE PIERRE EN DÉCOR MURAL :

Les méthodes décrites ci-dessus, sont aussi très utiles pour créer des décors muraux en trompe-l'œil : colonnes, arcades, etc.

Partie murale et niche en fausse pierre de taille nuancée avec filage des joints en blanc ; statuette traitée façon ivoire patiné

FAÇON PIERRE DE TAILLE DITE « COUPE DE PIERRE »

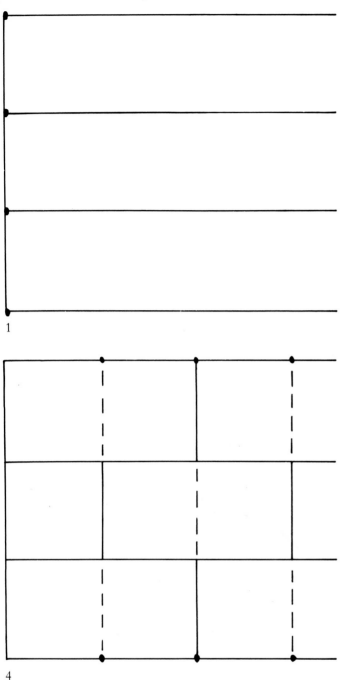

1

4

Les supports sont préalablement revêtus de deux couches d'une peinture unie mate (ou satinée, si des colorations sont prévues) et pochée avec le rouleau à peindre ou la brosse à pocher.

Ton de fond : un ton pierre.
Les tons pierre varient du ton crème franc
ou un peu grisâtre au ton beige moyen et un peu rosé.
Voir les exemples p. 53.

Si l'on colore la peinture blanche soi-même, utiliser pour cela les colorants concentrés, en petite quantité.
Ne pas employer les peintures «laques» qui ne donneraient pas le relief poché désiré.
Tracé de base :
selon le mur ou le panneau, déterminer d'abord
la hauteur idéale des rangées de pierres appelées «assises»
en divisant la hauteur du mur, du sol au plafond,
pour obtenir une dimension d'assise voisine de 33 cm
de hauteur.
À noter : le rapport des deux dimensions d'une pierre
sera de 1 pour 2, soit idéalement 33 cm × 66 cm.
Mais selon l'importance du local, des murs ou des panneaux,
les hauteurs d'assise peuvent varier de 22 à 40 cm.
Exemple : hauteur d'un mur = 2,60 m.
soit 2,60 : 9 pierres = 28,8 cm
soit 2,60 : 8 pierres = 32,5 cm (donc choisir 32,5 cm et 65 cm de base).
1. Pointer au crayon les hauteurs d'assise
dans l'angle d'un mur, du sol au plafond
(sans tenir compte des plinthes et corniches rapportées).
2. Tracer de niveau une horizontale entière, à hauteur moyenne.
3. Pointer toutes les autres rangées horizontales au-dessus
et au-dessous de la première déjà faite et tracer l'ensemble
des assises, à la règle (ou au cordeau imprégné
de blanc de craie).
4. Tracer les joints verticaux après marquage en partie haute
de repères consécutifs toutes les demi-pierres.
5. En présence d'ouvertures, portes, baies, fenêtres, tracer
d'abord les clefs d'assemblage (voir modèles, pages 60 à 63).

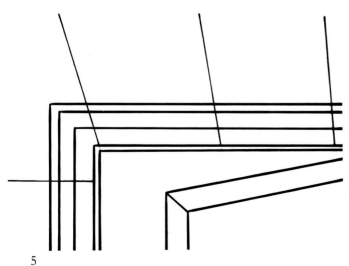

5

À noter : il est possible d'incorporer le bâti fixe des portes
dans la coupe de pierre en poursuivant les filets
sur le ton pierre peint préalablement.

Réalisation des joints :
ils seront obtenus par un filet de peinture mate,
généralement blanche et un peu fluide,
par exemple un volume de peinture alkyde mate
et un volume de blanc de zinc ou de titane
avec un peu d'huile, un peu d'essence et de siccatif.

Exemples de tons pierre :

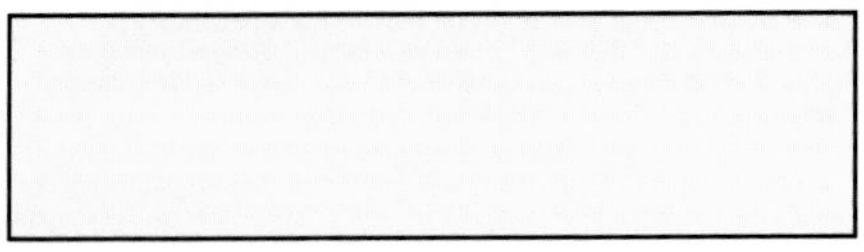

Le noir peut remplacer la terre d'ombre naturelle

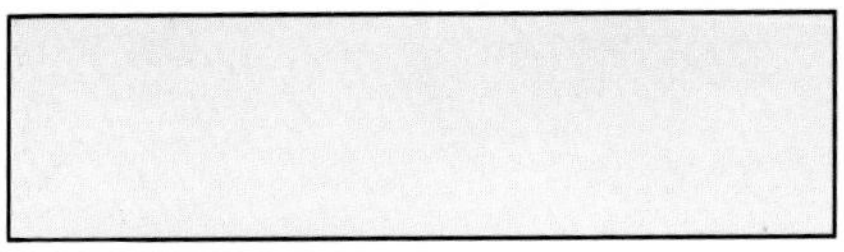

Blanc, ocre jaune,
un peu d'ombre naturelle,
pointe de jaune de chrome moyen

Blanc, ombre naturelle,
une peu d'ocre jaune

Blanc, ocre jaune,
un peu d'ombre naturelle,
pointe d'ombre brûlée

Blanc, ocre jaune,
un peu d'ocre rouge,
pointe d'ombre naturelle

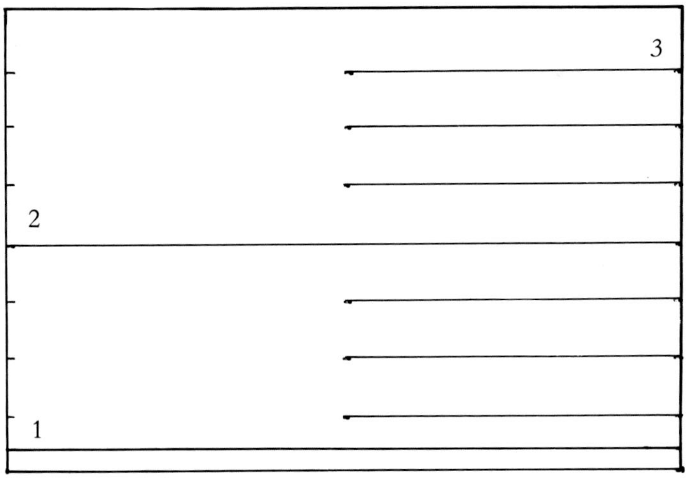

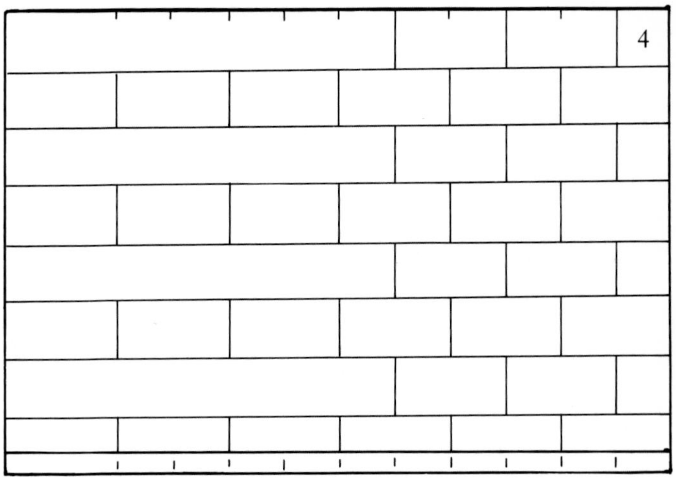

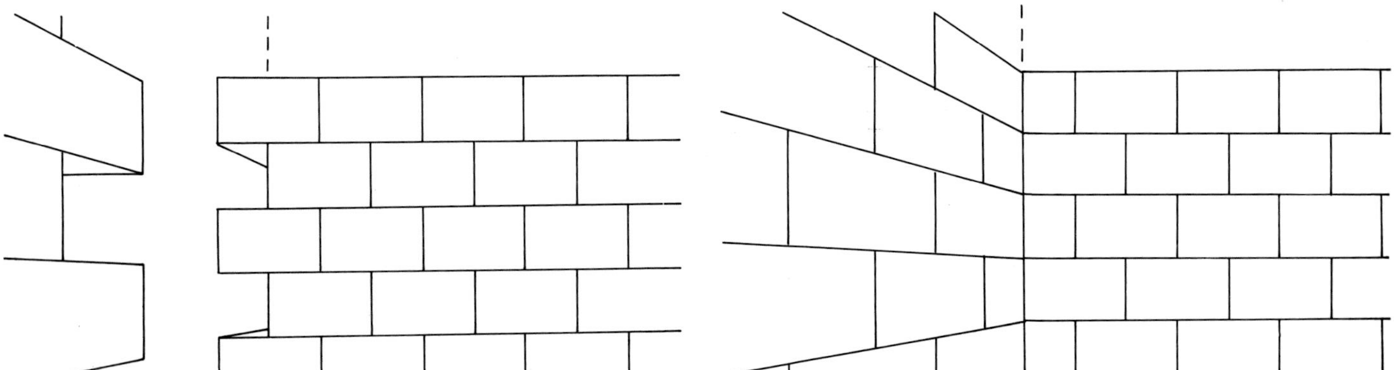

Pour les angles, tenir compte du système d'emboîtement des vraies pierres :
une pierre d'angle entière se poursuivra par une demi-pierre.
Ce principe servira à calculer l'emplacement des repères
pour les joints verticaux et à obtenir une parfaite symétrie.

COUPE DE PIERRE UNIE ET COLORÉE

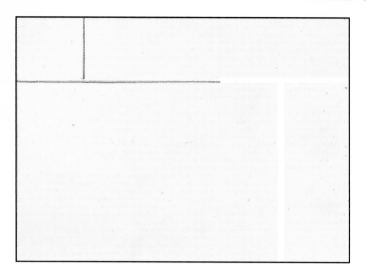

COUPE DE PIERRE UNIE:
C'est la peinture de fond qui fournit la tonalité définitive.
C'est le filage des joints qui donne l'aspect final,
réel et sobre.
Les joints en blanc peuvent parfois nécessiter une deuxième
couche, surtout si le tracé des pierres est marqué
trop fortement au crayon.

Glacis appliqué

Glacis appliqué

COUPE DE PIERRE COLORÉE:
On réalise la coloration en appliquant un glacis légèrement
teinté dans chaque pierre et en respectant leur tracé.
Pour créer une alternance de pierres claires
et de pierres plus colorées, on préparera
et on utilisera trois ou quatre glacis teintés différemment
à l'aide de Sienne naturelle et d'ombre naturelle:
— Un glacis presque incolore, un peu jaune.
— Un glacis un peu grisâtre, avec l'ombre naturelle.
— Un ou deux autres glacis intermédiaires.
Sur des fonds beiges, prévoir aussi l'ombre brûlée.
Le glacis étant bien appliqué «à sec» dans une pierre,
on dispose de deux moyens simples pour en terminer l'aspect:
1. Rayer plus ou moins fortement le glacis
avec un spalter large, tiré dans le sens horizontal.
Selon le système de glacis, éponges ou toile de jute pliée
peuvent aussi donner un aspect rayé semblable.
2. Pocher régulièrement le glacis à la brosse à patine.
Le grain peut être plus ou moins marqué selon le recul.

OBSERVATIONS:
Dans les deux cas, en fonction de leur séchage,
essuyer les glacis qui peuvent déborder sur les pierres
voisines.
Finir par le filage des joints.

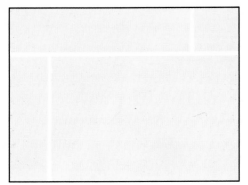

Coupe de pierre unie

Glacis rayé

1

2

Glacis poché

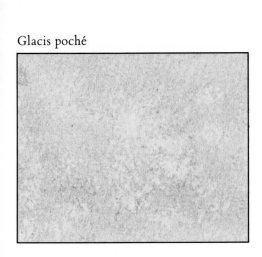

COUPE DE PIERRE NUANCÉE, JOINTS

COUPE DE PIERRE NUANCÉE ET VEINÉE:
On préparera un glacis incolore et deux autres légèrement
teintés comme pour les pierres colorées précédentes.
Glacer une ou plusieurs pierres à la fois, en incolore.
Placer par endroit du glacis coloré.
Adoucir et fondre les limites colorées avec le spalter;
des essuyés au chiffon sont aussi possibles.
Pocher ou rayer certaines parties.
Placer dans le sens de certaines pierres, ou un peu en oblique,
quelques nuances larges à adoucir ensuite
ainsi que quelques veines à la brosse plate à tableaux.
Elles seront un peu jaunes, un peu grises ou blanchâtres.
Effectuer quelques spitcés de couleur brune
et d'autres de couleur blanche.
Finir par le filage des joints.

OBSERVATION:
Pour tous ces travaux de coupe de pierre,
le coloris des joints peut être blanc, ocré, gris clair,
gris moyen.

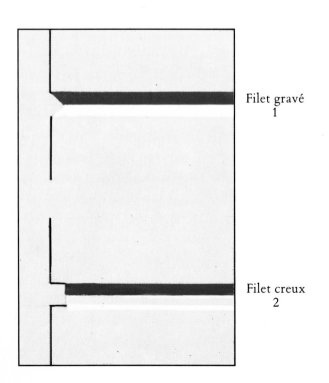

Filet gravé
1

Filet creux
2

JOINTS DE PIERRE TRAVAILLÉS:
En plus du joint simple (obtenu par un filet de peinture unie)
on peut aussi réaliser des joints gravés
ou en creux, à l'aide de filets d'ombre et de lumière.
Par convention, le placement des filets d'ombre
et de lumière correspondra à un éclairage venant du haut,
en oblique à 45°, à gauche ou à droite
selon l'emplacement de la surface travaillée
et de l'éclairage existant.

OBSERVATION:
Ces filets faits en peinture couvrante peuvent aussi
être faits en glacis teintés pour un résultat plus réaliste.

Coupe de pierre nuancée et veinée

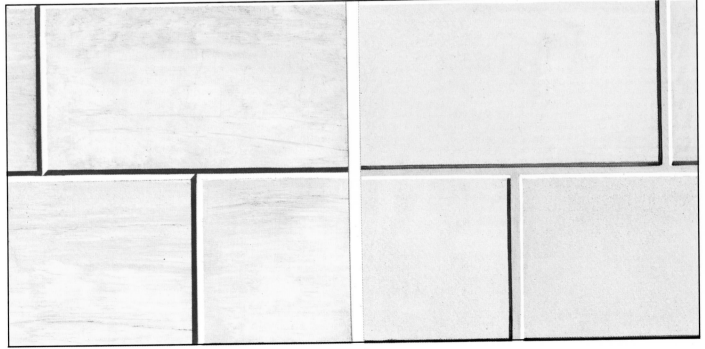

COUPE DE PIERRE

Différents moyens permettent d'ajouter du relief à la pierre de taille.

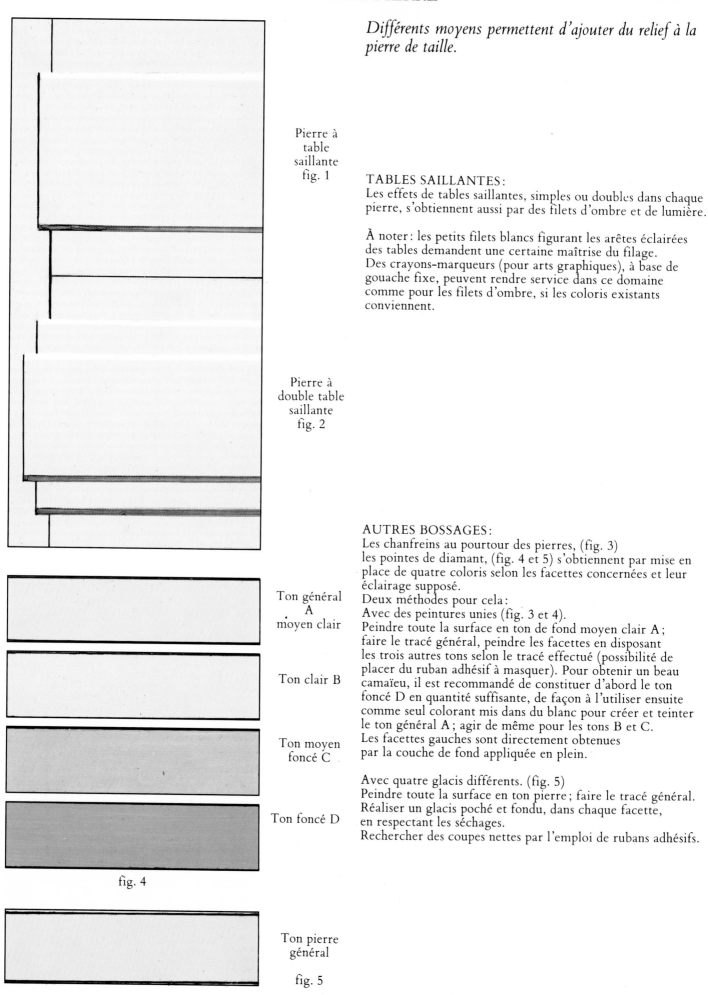

Pierre à
table
saillante
fig. 1

Pierre à
double table
saillante
fig. 2

Ton général
A
moyen clair

Ton clair B

Ton moyen
foncé C

Ton foncé D

fig. 4

Ton pierre
général

fig. 5

TABLES SAILLANTES :
Les effets de tables saillantes, simples ou doubles dans chaque pierre, s'obtiennent aussi par des filets d'ombre et de lumière.

À noter : les petits filets blancs figurant les arêtes éclairées des tables demandent une certaine maîtrise du filage.
Des crayons-marqueurs (pour arts graphiques), à base de gouache fixe, peuvent rendre service dans ce domaine comme pour les filets d'ombre, si les coloris existants conviennent.

AUTRES BOSSAGES :
Les chanfreins au pourtour des pierres, (fig. 3)
les pointes de diamant, (fig. 4 et 5) s'obtiennent par mise en place de quatre coloris selon les facettes concernées et leur éclairage supposé.
Deux méthodes pour cela :
Avec des peintures unies (fig. 3 et 4).
Peindre toute la surface en ton de fond moyen clair A ; faire le tracé général, peindre les facettes en disposant les trois autres tons selon le tracé effectué (possibilité de placer du ruban adhésif à masquer). Pour obtenir un beau camaïeu, il est recommandé de constituer d'abord le ton foncé D en quantité suffisante, de façon à l'utiliser ensuite comme seul colorant mis dans du blanc pour créer et teinter le ton général A ; agir de même pour les tons B et C.
Les facettes gauches sont directement obtenues par la couche de fond appliquée en plein.

Avec quatre glacis différents. (fig. 5)
Peindre toute la surface en ton pierre ; faire le tracé général.
Réaliser un glacis poché et fondu, dans chaque facette, en respectant les séchages.
Rechercher des coupes nettes par l'emploi de rubans adhésifs.

1. Pierres à table saillante

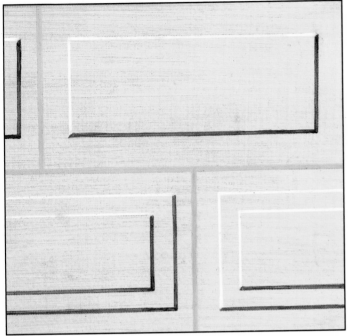

2 Pierres à double table saillante

3. Pierres avec chanfreins

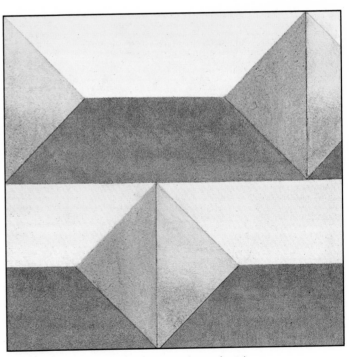

4. Pierres en pointe de diamant (par peintures unies)

5. Pierres en pointe de diamant (par glacis)

COUPE DE PIERRE — APPAREILLAGES AVEC PLATES-BANDES

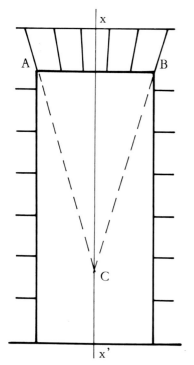

1. Recommandé
pour ouvertures
de largeur réduite

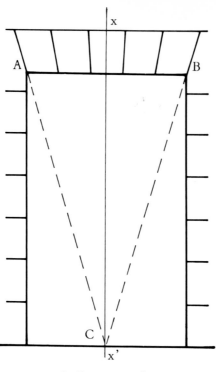

2. Recommandé
pour ouvertures
de largeur plus importante

*La plate-bande désigne le linteau horizontal qui surmonte les baies droites ouvertes dans les murs
(portes, baies libres, fenêtres, etc.).
Elle est constituée de pierres obliques appelées claveaux, toujours en nombre impair avec la clef placée au centre.*

Tracé :
Diviser l'horizontale AB en cinq ou sept parties (parfois plus selon l'importance de cette largeur).
Déterminer le point C sur l'axe xx' et, de ce point, tracer les joints obliques des pierres selon la division faite en AB.

Détermination du point C :
Différentes méthodes professionnelles existent ; en voici deux simplifiées :
1. Additionner la largeur AB et la hauteur AH ; diviser le total par 2 et le reporter en partant du haut sur l'axe xx'.
2. Établir l'axe xx' et marquer le point C à la base de la baie en son milieu.

AUTRES TRACÉS DE PLATES-BANDES

À crossettes

À crossettes décalées

À harpe

*Façon coupe de pierre unie
sur un mur comportant une baie fermée
surmontée d'une plate-bande à crossettes
avec clef à bossages*

COUPE DE PIERRE — APPAREILLAGES AVEC ARCS

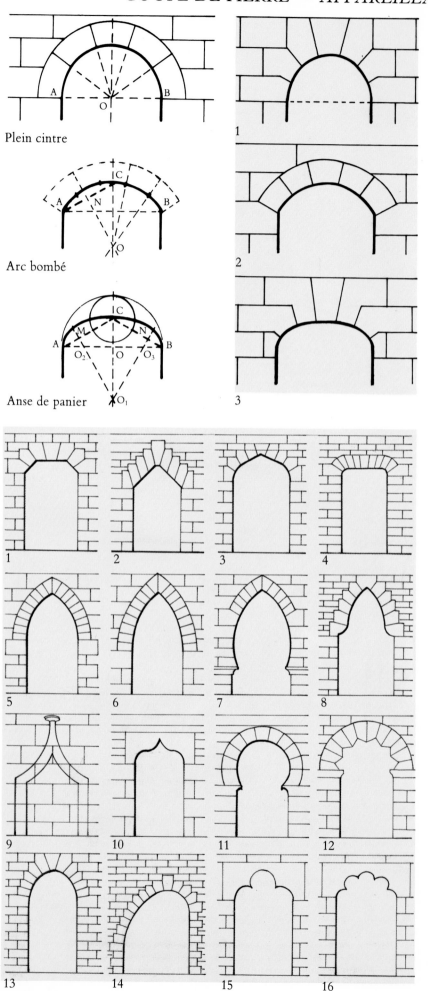

Plein cintre

Arc bombé

Anse de panier

L'arc est une autre façon de construire pour surmonter les baies ouvertes dans les murs (portes, baies libres, fenêtres, etc.) avec sa clef et ses claveaux ou voussoirs. Les arcs, qui se distinguent par de nombreux tracés courbes, sont représentatifs de différents styles : roman, gothique, etc.

PLEIN CINTRE :
Il correspond à un demi-cercle parfait.
Pour le créer, tracer une horizontale AB
à la largeur souhaitée. De son milieu en O,
tracer une demi-circonférence.
La diviser par le nombre de pierres, les
marquer. Joindre O à chaque point de division.
Le sommet des claveaux sera délimité
par un deuxième demi-cercle.
Possibilité de claveaux à crossettes. Voir ex. 1.

ARC BOMBÉ :
Il correspond à une série d'arcs surbaissés
dont le centre variable O est toujours situé en
dessous de l'horizontale AB.
Déterminer d'abord les points A, B et C.
Joindre AC et en son milieu N, abaisser une
perpendiculaire qui coupera l'axe en O,
centre de l'arc à tracer.
Possibilité de claveaux. Voir ex. 2.

ANSE DE PANIER :
Déterminer d'abord les points A, B et C.
Tracer le demi-cercle de rayon OA.
Joindre AC et BC. Tracer ensuite le cercle de
centre C, de rayon CD, pour obtenir
les points M et N.
Tracer les médiatrices de AM et BN
qui donneront les centres
des trois courbes à tracer, en O_1, O_2 et O_3.
Possibilité de claveaux à crossettes. Voir ex. 3.

ARCS DIVERS
Appellations :
  1. Angulaire tronqué
  2. Brisé
  3. Tudor
  4. Déprimé
  5. En ogive
  6. En lancette
  7. Lancéolé
  8. En doucine
  9. Infléchi
 10. En accolade
 11. Outrepassé
 12. Zigzagué
 13. Elliptique
 14. Rampant
 15. Trilobé
 16. Quintilobé

*Façon coupe de pierre nuancée
(avant filage des joints)
sur mur comportant une fausse fenêtre
surmontée d'un arc en ogive*

ÉLÉMENTS EN PIERRE

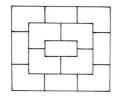 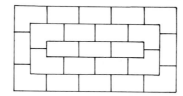 

 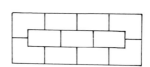 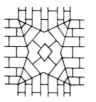

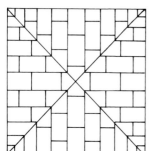 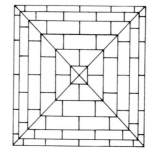 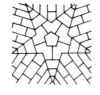

VOÛTES :
Les voûtes en pierres, selon qu'elles sont plates, courbes ou composées, montrent des pierres disposées différemment.

Ci-contre différents schémas d'appareillage.

BALUSTRES :
Ils désignent des petits piliers qui, employés en nombre et coiffés d'une tablette, constituent des balustrades.
Peinte en trompe-l'œil, une balustrade en pierre est un élément intéressant à incorporer dans certaines fresques murales.
Voir les exemples ci-contre.

Réalisation :
Le décor mural bien ébauché ou terminé, on réalise le tracé de la balustrade souvent en premier plan. Faire les tracés (effaçables) horizontaux, base et tablette ; répartir les axes verticaux des balustres.
Pour tracer leur profil, possibilité d'établir le poncif entier d'un balustre que l'on reporte ou encore de réaliser le gabarit d'un demi-balustre que l'on retourne sur chaque axe pour une parfaite symétrie.

Exemple d'un appareillage en pierre de taille au pourtour d'un œil-de-bœuf ovale ; moellons ordonnés au surplus (voir page 66).

ŒIL-DE-BŒUF :
Ouverture ronde ou ovale située en partie haute des façades (frontons, pignons) donnant lieu à un entourage maçonné décoratif.

Balustrade réelle en vieille pierre bordant une terrasse

APPAREILLAGES DIVERS

1

L'utilisation de pierres de petites dimensions,
les moellons, pour construire des murs, donne lieu
à des appareillages très variés.

MOELLONS ORDONNÉS: (1 et 2)

Sur un fond ton pierre au choix,
tracer des lignes horizontales régulières et ensuite
des joints verticaux variés pour déterminer les pierres.
Avec une brosse plate ou «queue de morue»,
et principalement dans le bas des pierres,
placer quelques touches un peu plus foncées que le fond;
atténuer ces touches avec une éponge ou une brosse.
Faire de même avec un ton clair principalement dans le haut
des pierres.
Finir en peignant les joints, en gris ciment, avec légers
arrondis des angles.

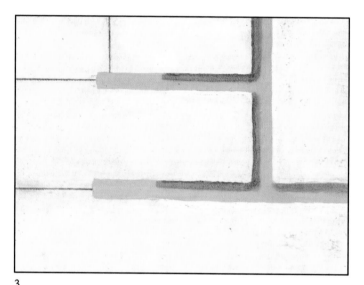

3

PIERRES OU MOELLONS, EN «APPAREIL MODERNE»: (3 et 4)

Sur un fond ton pierre au choix, tracer de façon rectiligne
cette disposition particulière des pierres
selon les modèles ci-contre.
Pour l'aspect de moellons dits ordonnés ou dressés,
travailler selon les indications ci-dessus (Ex. 1).
Pour l'aspect de pierres taillées, travailler au choix en
nuançage et spitcés, selon les indications coupe de pierre.
Finir en peignant des joints droits, en gris ciment.

5

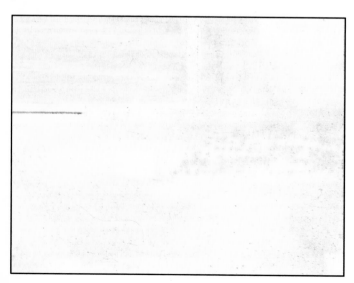

PIERRES DE PAYS FAÇON «RESTAURÉES»: (5 et 6)

Sur un fond ton pierre clair, tracer des rangées horizontales
et dessiner ensuite les contours de pierres irrégulières
bien disposées dans chaque rangée.
Faire quelques nuances douces, quelques grains peu colorés
chiquetés à l'éponge, quelques traces blanches représentant
les raccords et nettoyages.
Finir en peignant des joints plus ou moins larges
autour des pierres, dans un ton proche du fond rappelant
la présence de la chaux dans la réfection des vrais joints.

1

2

3

4

5

6

APPAREILLAGES DIVERS ET PIERRES

1

MOELLONS BRUTS OU DRESSÉS, EN APPAREIL IRRÉGULIER «OPUS INCERTUM» : (1)

Sur le ton de fond, tracer à la main des pierres
de formes différentes, mais bien disposées,
de façon à éviter des vides.
Créer un relief coloré selon la méthode
des moellons ordonnés (p. 66).
Finir en peignant des joints irréguliers
et de forme angulaire.

À noter : L'importance de l'ombrage des joints.
Selon la qualité recherchée, une ombre portée
à la base de chaque pierre apporte
beaucoup de réalité :
Peindre les joints en peinture unie,
dans tous les cas d'appareillages.
Sertir par un galon sombre de peinture
ou de glacis le bas des pierres ainsi qu'un côté,
selon l'éclairage voulu.
Fondre ce galon en le pochant
(spalter étroit ou rondin) ou en l'adoucissant
avec la brosse à filets droite et la règle
pour l'ombrage de joints très rectilignes.

MOELLONS EN APPAREIL «POLYGONAL» : (2)

Sur le ton de fond, tracer à la main des pierres
à cinq ou six côtés,
en recherchant un bon assemblage final.
Utiliser ensuite la méthode décrite
pour les moellons ordonnés (p. 66).

PIERRE MEULIÈRE : (3)

De forme irrégulière et criblée de trous,
elle se caractérise par des coloris oxyde jaune
et pain brûlé.

Ton de fond : blanc et ocre jaune.
Tracer la forme des pierres au crayon.
Colorer chaque pierre avec un glacis
de Sienne naturelle et brûlée en variant le
dosage ;
faire des enlevés au chiffon et des pochés
à l'éponge humectée d'eau ou d'essence
selon le système.
Faire quelques effets clairs au glacis
blanchâtre, teinté d'ocre jaune.
Faire un chiqueté partiel pour imiter les
cavités, avec un bout d'éponge et du glacis
très sombre à l'ombre brûlée et naturelle.
Finir en peignant les joints
d'une peinture couvrante, ton ciment.

3

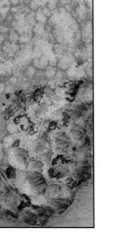

1. *Moellons en appareil irrégulier*

2. *Moellons en appareil polygonal*

3. *Pierres meulières en appareil régulier*

PIERRES DIVERSES

Les pierres ci-dessous demandent un tracé préalable identique à la coupe de pierre.
On peut aussi les présenter en dalles rectangulaires ressemblant au format de certains carrelages.

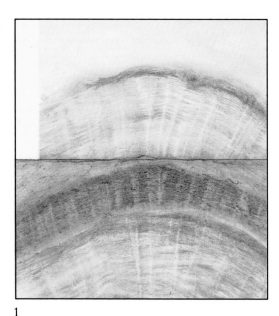

1

FAÇON PIERRE RUBANNÉE : (1)
Selon leur provenance, certaines pierres présentent des veinages colorés se tortillant tels des rubans.
Ton de fond : ton pierre jaune, beige, gris clair ou blanc.
Glacer chaque pierre en glacis incolore.
Placer, dans chacune, des veinages sinueux aux coloris proches du fond.
Réaliser immédiatement des ondulations au petit spalter.
Finir par quelques lignes plus colorées épousant les mêmes courbes.

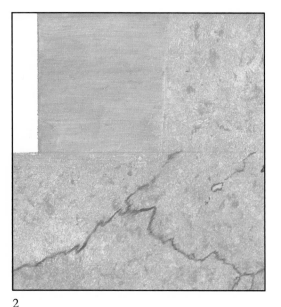

2

3

FAÇON COMBLANCHIEN : (2)
Pierre de construction beige à utiliser pour accompagner des effets plus colorés.
Ton de fond : blanc ou beige clair.
Appliquer en plein un glacis beige un peu couvrant (blanc, ocre jaune, ocre rouge, noir).
Faire un premier chiqueté partiel en beige clair, dans le glacis frais ainsi qu'un deuxième en beige foncé, à l'aide d'une éponge naturelle.
Placer deux ou trois veines, très sobrement, à la martre pointue (colorées de Sienne brûlée et naturelle).
Finir par quelques taches claires figurant des fossiles et par quelques sertis beige foncé autour de certains grains chiquetés.

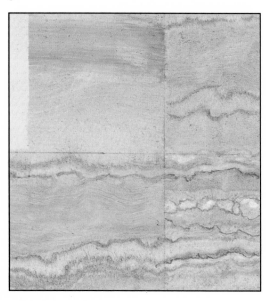

FAÇON TRAVERTIN : (3)
Dépôt calcaire très sinueux provoqué par les eaux de certaines sources (dont Tivoli).
Ton de fond : ton clair (blanc, oxyde jaune, pointe d'ombre naturelle).
Appliquer en plein un glacis un peu couvrant beige et jaune.
Faire deux ou trois bandes larges un peu colorées, en traînant le quart de pouce à glacis et en fondant l'ensemble avec le spalter.
Coloration des bandes : glacis, ombre naturelle, pointe d'ombre brûlée, glacis Sienne naturelle, pointe de noir.
Ensuite, établir quelques lignes sinueuses et étroites avec une martre pointue selon le graphisme ci-contre.
Finir en plaçant quelques taches claires imitant des cavités rebouchées au mastic beige et en les sertissant d'un petit filet brun ocré.

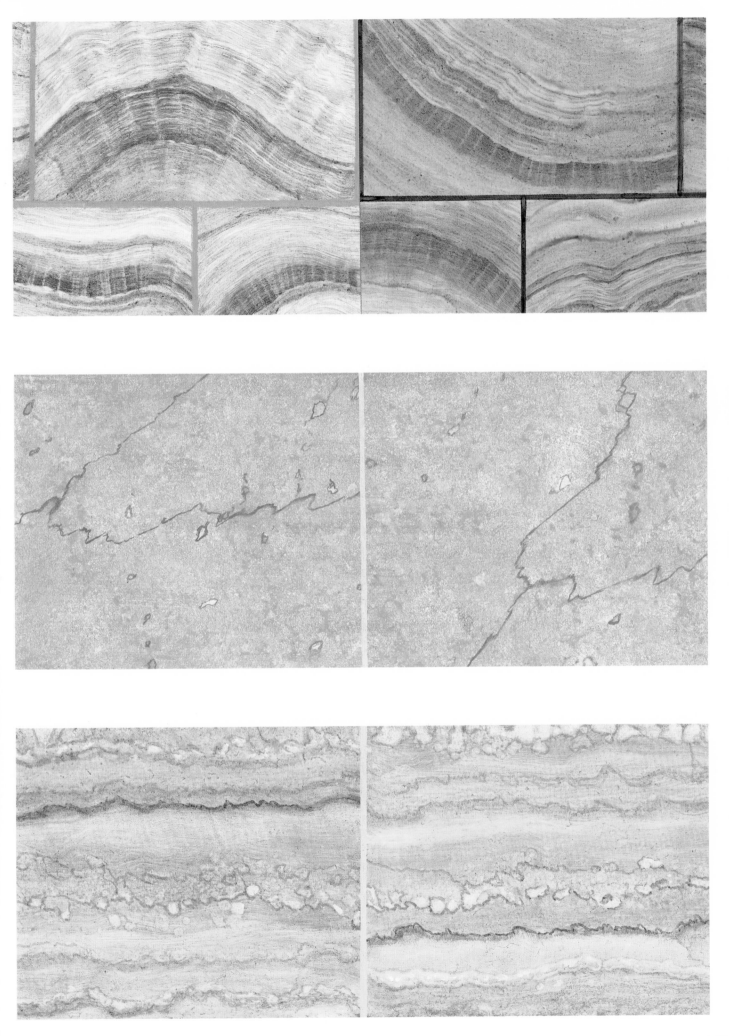

IMITATION BRONZE

Le bronze véritable, alliage de cuivre et d'étain, est employé comme élément de décor intérieur sous des formes diverses: bronze d'art, ameublement, lustrerie, etc.

En peinture décorative, on peut l'imiter et donner à des surfaces quelconques un aspect métallique par l'emploi de «bronzes en poudre», selon la classification qui va suivre.

Ces effets appelés imitations bronzes englobent aussi l'aspect doré ou argenté.

Différentes fournitures sont disponibles:

— Peintures en boîtes (ex. dorure liquide).
— Poudres et vernis à bronzer (vendus séparément).
— Aérosols.
— Gouaches, encres, couleurs acryliques, cires métallisées pour patines.

Ces produits sont stables dans un environnement sec mais sont sensibles à l'eau, aux vapeurs et aux intempéries. Un vernissage prolongera leur durée, au détriment de leur éclat initial.

1. BRONZES UNIS ET EN PLEIN

L'application directe à la brosse de peintures aux bronzes doit être réservée aux travaux de petites surfaces: filets dorés, petits ornements, etc.

En surfaces plus importantes (parties unies, objets), l'éclat final est terni par les traces de brosses. Il faut donc choisir l'application traditionnelle sur vernis mixtion; pour des travaux plus courants, l'emploi d'aérosols peut convenir.

2. BRONZES PATINÉS

Des glacis de patines appliqués sur du bronze uni permettent d'obtenir des effets plus authentiques et moins clinquants.

3. BRONZES REHAUSSÉS DE POUDRES

Cette technique consiste à appliquer du bronze, partiellement, sur des endroits déterminés. Ceci les met en évidence et crée aussi des reflets métalliques décoratifs.

4. BRONZES À L'EFFET

Cette technique consiste à imiter les bronzes en employant uniquement des peintures et des glacis à l'huile rappelant leur couleur; le principal intérêt est la stabilité de ces travaux dans le temps puisqu'il n'y a pas à craindre l'altération future des pigments métalliques utilisés dans les autres façons.

5. EFFETS MÉTALLIQUES DIVERS

Les bronzes en poudre permettent aussi d'obtenir d'autres effets particuliers qui s'ajoutent aux imitations répertoriées ci-dessus.

BRONZE EN POUDRE:
Principales nuances
(miscibles entre elles)
De gauche à droite
et de haut en bas:
Or pâle, Or jaune, Or citron,
Or foncé
Médaille, Aluminium, Argent,
Cuivre.

BRONZES UNIS ET EN PLEIN

*Ce travail consiste à obtenir une surface couverte de bronze
présentant un aspect métallisé uniforme, dans la nuance choisie.*

BRONZE EN PLEIN PAR APPLICATION DIRECTE À LA BROSSE:

Cette méthode où l'on emploie du bronze en poudre mélangé
avec du vernis à bronzer donne de bons résultats dans les travaux suivants:
filets et galons décoratifs, entrelacs, petite ornementation, pochoirs,
réchampis sur reliefs, objets de petite taille.
Un vernissage final de ces éléments n'est pas envisageable.
Pour des surfaces plus larges, les traces d'application nuisent
à l'aspect uniforme recherché.

Exécution:
Le mélange préparé s'applique directement sur la surface finie
sans nécessiter de couche de fond préalable au bronze.
Pour du filage à la règle, une certaine habitude est nécessaire
car les essuyages sont difficiles à réaliser.

BRONZE EN PLEIN PAR APPLICATION SUR VERNIS MIXTION:

Cette méthode professionnelle, plus délicate à réaliser,
donne un très bon résultat. Elle convient pour les travaux suivants:
surfaces unies, moulages, cadres, objets, sculptures, petit mobilier.

Principe de base:
Faire deux couches de fond en peinture laque brillante ou satinée,
de coloration proche du bronze choisi.
Appliquer une couche de vernis mixtion «12 heures», bien égalisée,
sans faire d'oublis.
Le lendemain, appliquer sur ce vernis adhésif une couche de bronze en
poudre mélangé à un liquide composé d'eau et d'alcool à brûler
en parts égales.
À noter: pour petits travaux d'atelier, le bronze en poudre
peut être appliqué directement sur la mixtion avec un pinceau doux;
l'excédent de poudre sera ensuite récupéré sur un papier lisse
placé sous l'objet traité.
Finir après quelques heures par un léger lustrage de la surface à l'aide de
coton et du pinceau doux.

OBSERVATIONS:

Une couche de vernis permet de ralentir l'altération de ces pigments
sensibles.
Pour des surfaces simples ou des travaux rapides, on peut aussi utiliser
des bronzes en aérosols; consulter leur notice pour préparer le fond
(en blanc mat, principalement).

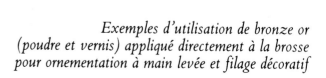

*Exemples d'utilisation de bronze or
(poudre et vernis) appliqué directement à la brosse
pour ornementation à main levée et filage décoratif*

*Moulure sculptée réalisée en bronze or pâle en poudre
appliqué sur vernis mixtion préalable*

BRONZES PATINÉS

1

2

Le vieillissage d'une imitation bronze s'obtient par un travail de patine avec un glacis appliqué sur un fond de bronze en plein; préalablement, pour éviter l'altération de cette surface métallisée, il faut d'abord l'isoler par une couche de vernis.

Principe de base commun à tous les exemples de bronzes patinés ci-dessous : Faire un fond de bronze en plein.
Appliquer ensuite une couche de vernis (gomme laque ou vernis alkyde dilué d'un peu d'essence).
Réaliser la patine de vieillissage à l'aide d'un glacis teinté.
Protéger l'ensemble par une couche de vernis final (brillant, satiné ou mat).

Exemples de coloration : (non limitatifs selon les nuances des bronzes et des patines choisies).
1. Bronze jaune vieilli avec un glacis d'ombre naturelle.
2. Bronze jaune ombré et ravivé avec un glacis de Sienne et d'ombre brûlées.
3. Bronze jaune façon dorure à l'eau usée laissant paraître les couches «d'assiette»; le bronze en plein est appliqué sur une sous-couche rouge et usé ensuite partiellement après séchage, avec de l'essence ou du papier abrasif fin.
4. Bronze antique façon vert-de-gris avec un glacis vert jaune.
5. Bronze antique sombre avec un glacis vert foncé (noir, ombre naturelle, vert anglais).
6. Bronze façon «canon de fusil» avec un glacis sombre (bleu de prusse et noir) rayé à la toile sur un fond bronze aluminium.
Autre moyen :
glacis métallisé au bronze blanc frotté sur un fond peint, ton sombre bleu acier.
7. Bronze blanc «aluminium» avec un glacis léger de noir d'ivoire.
8. Bronze argent avec un glacis légèrement jaune (pointes de Sienne naturelle et de chrome moyen).

OBSERVATION :
Sur bronze antique sombre, on peut placer du vert-de-gris bien mat, dans les creux,
avec de l'acrylique dilué, par exemple.
Ex.: masque, en dernière page de couverture.

BRONZE JAUNE VIEILLI
(Voir ci-contre les opérations successives sur les trois quarts du c
Apprêts communs à tous les exemples :
impression et enduit à la brosse
Peinture de fond (jaune) et vernis mixtion
Application bronze or et lustrage
Vernis pour isolation et patine de vieillissage

BRONZE JAUNE FAÇON DORURE A L'EAU
(Voir ci-contre sur un quart du cadre, à droite)
Peinture de fond (rouge) et vernis mixtion
Application bronze or, usure des reliefs.
Vernis final de protection
(peinture patinée d'accompagnement facultative)
Vernis final de protection

3

7

5

6

8

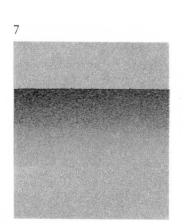

En bas :
Bronze jaune ombré, ravivé
Bronze antique sombre

BRONZES REHAUSSÉS DE POUDRES

1

Cette technique est l'inverse du système des bronzes patinés ; au lieu d'appliquer du bronze en plein et d'en masquer une partie par un glacis, on applique un glacis en plein et seulement quelques endroits sont ensuite garnis partiellement de bronze.

Comme pour le vieillissage, le principe repose sur l'utilisation et le bon placement de trois coloris :
— Un ton sombre pour le bas des panneaux, des fuseaux et barreaudages, pour les creux, etc.
— Un ton moyen pour les parties intermédiaires.
— Un ton clair pour les reliefs, arêtes, parties supérieures, extrémités des volutes, etc.

BRONZE JAUNE OU BRONZE OR (1) :
Ton de fond : peinture satinée jaune (ocre jaune, jaune citron et Sienne naturelle, selon la nuance du bronze choisi).

Exécution :
Glacer toute la surface en incolore.
Placer du glacis teinté (Sienne naturelle, ombre naturelle, ombre brûlée) pour le ton sombre.
Pocher ce glacis en empiétant sur les parties intermédiaires (ton de fond glacé en incolore).
Placer, pour finir, le ton clair fait de glacis chargé de bronze or et faire son pochage. — Voir fig. 1.

BRONZE ROUGE OU BRONZE FLORENTIN (2) :
Ton de fond : peinture satinée brun-rouge (couleur brun Van Dyck ou ombre brûlée).

Exécution :
Glacer toute la surface en incolore.
Placer du glacis à l'huile contenant très peu de bronze rouge, sur les parties intermédiaires.
Pocher ce glacis en empiétant sur les parties sombres (ton de fond glacé en incolore).
Placer pour finir le ton clair fait de glacis chargé de bronze rouge et faire son pochage. — Voir fig. 2.

FAÇON FER FORGÉ (3) :
Ton de fond : peinture satinée noire.

Exécution :
Semblable au bronze rouge mais avec emploi de bronze blanc « aluminium ».
À noter : un glacis noir appliqué comme une patine sur du bronze aluminium en plein donnera un résultat semblable.

2

3

OBSERVATION :
Toujours pour les bronzes rehaussés, l'emploi de cires métallisées, vendues en petits flacons, appliquées au doigt ou au chiffon donne des résultats satisfaisants et rapides.

Vasque en bronze jaune

Vasque en bronze rouge

Bronze antique rehaussé à la cire métallisée

Bronze violine rehaussé à la cire métallisée

BRONZES À L'EFFET

1

2

3

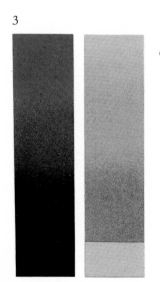

4

Cette technique ressemble à celle des bronzes rehaussés de poudres par l'utilisation et le même placement de trois coloris, pochés et fondus pareillement.
La différence importante réside dans le remplacement des poudres métalliques par des couleurs à l'huile, en tubes, mêlées au glacis et copiant au mieux le reflet métallique de ces bronzes.
Les résultats étant limités, on l'utilise surtout pour les appellations ci-dessous.

BRONZE MÉDAILLE OU «VIEUX SOU» (1):
Ton de fond: peinture satinée havane (ocre jaune, un peu d'ombre naturelle, pointes de blanc et d'ocre rouge possibles, selon les alliages).

Exécution:
Glacer toute la surface en incolore.
Placer du glacis teinté (ombre naturelle, pointe d'ombre brûlée) pour le ton sombre.
Pocher ce glacis en empiétant sur les parties intermédiaires (ton de fond glacé ou incolore).
Placer, pour finir, le ton clair fait de glacis chargé d'ocre jaune (pointes de Sienne naturelle et de blanc possibles). Voir fig. 1.

BRONZES ANTIQUES:
Différentes colorations par le même principe de trois tons.
Bronze «Convention» (2):
Ton de fond: peinture satinée vert soutenu (vert anglais foncé, ombre naturelle).
Un ton sombre, glacis vert anglais foncé, ombre naturelle.
Un ton moyen, fond glacé en incolore.
Un ton clair, glacis chargé d'ocre jaune et pointe de Sienne.
Placer aussi quelques nuances Sienne et ombre brûlées.

Bronze vert «Égyptien» (3):
Soit par glacis noir sur un fond vert de cuivre. Voir fig. 3.
Soit par glacis vert-de-gris sur un fond noir.

Bronze vert «Art nouveau» (4):
Ton de fond: peinture satinée vert clair (blanc, vert moyen, un peu d'ocre jaune).
Un ton sombre, glacis, vert moyen, Sienne et ombre naturelles.
Un ton moyen, même glacis moins couvrant.
Un ton clair fond glacé en incolore.

OBSERVATION:
Ces effets, obtenus sur des reliefs existants, peuvent aussi s'utiliser en ornementation et en trompe-l'œil par l'emploi de teintes en aplat créant le relief (ton clair, ton de fond moyen, ton sombre).
Voir le motif peint en bronze antique sur surface unie.

Vasque en bronze médaille
Vasque en bronze antique sur fond vert
Vasque en bronze antique sur fond noir
Motif peint en bronze antique sur surface unie

EFFETS PARTICULIERS

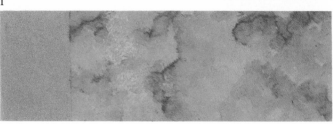

Les exemples décoratifs ci-dessous illustrent l'utilisation des bronzes avec différentes techniques : des bronzes en plein (sur mixtion ou par aérosols) décorés par des glacis colorés
ou des fonds peints unis décorés par des glacis de bronzes. Vernissage final dans tous les cas.

EFFET «OXYDATION AU VINAIGRE» (1):
Faire un fond bronze or, obligatoirement sur mixtion.
Apès séchage, humecter le bronze avec du vinaigre d'alcool, soit en plaçant du papier d'essuyage, genre «non tissé», imbibé de vinaigre au contact du bronze ;
soit, pour des parties verticales,
en les tamponnant plusieurs fois avec une éponge imbibée.

EFFET «OXYDATION» PAR GLACIS COLORÉS (2):
Faire un fond bronze or, par tout moyen.
Isoler ce fond par une couche de vernis.
Réaliser une patine nuagée avec un glacis vert-jaune et quelques parties chiquetées à l'éponge, couleur vert-de-gris clair ; possibilité de spitcer quelques gouttes d'essence pour dépouiller par endroit.
À noter : dans les deux cas, on peut rajouter d'autres effets colorés.

EFFET «LAQUE NUAGÉE» (3):
Faire un fond coloré soutenu.
Appliquer un glacis moyennement chargé en bronze.
Faire des enlevés, des pochages, des dépouillés à l'éponge à peine humectée d'essence, etc.
Même travail sur un fond bleu roi.

EFFET «CHIQUETÉ, GRANITÉ» (4):
Faire un fond bronze (nuance au choix).
Isoler le fond par une couche de vernis.
Réaliser un ou plusieurs chiquetés à l'aide de glacis colorés.

EFFETS «MODERNES» (5):
Faire un fond coloré soutenu.
Appliquer un glacis incolore en plein.
Placer des effets répétitifs, au choix (hachures au spalter chargé de bronze, chiffon froissé imbibé de bronze, etc.)
Chiquetés ou glacis colorés supplémentaires
(en bleu dans l'exemple ci-contre), etc.

OBSERVATION:
En cas de superposition, isoler les glacis comportant du bronze par un vernissage intermédiaire.

Oxydation au vinaigre

Fausse oxydation par glacis

Laque nuagée

Effets métallisés chiquetés

Effets métallisés modernes

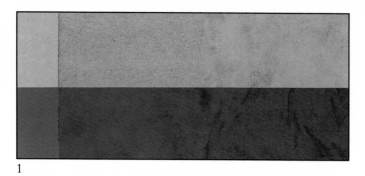

1

Ces pages présentent quelques matières complémentaires choisies pour leur similitude avec les techniques et savoir-faire précédents. Volontairement, les réalisations sont simples mais peuvent cependant servir à approcher des travaux plus raffinés.

CUIR : (1)

Ton de fond : chrome moyen, ocre jaune, mine orange et un peu de blanc pour le cuir jaune ; ocre jaune, chrome orangé, un peu de rouge et d'ombre brûlée pour le cuir marron.
Appliquer en plein un glacis teinté proche du ton de fond ; faire des enlevés au chiffon, pocher l'ensemble pour obtenir un grain.
Finir par quelques marques avec un glacis plus soutenu sur un chiffon plié.

2

PARCHEMIN : (2)

Ton de fond : blanc, ocre jaune, pointes de chrome clair et terre d'ombre naturelle.
Appliquer en plein un glacis plus ou moins jaune (Sienne naturelle et ombre naturelle) selon l'aspect ancien recherché et pratiquer ensuite comme pour une patine épongée ou nuagée ; pocher l'ensemble de façon régulière.
Après séchage, finir par quelques traces de glacis blanchâtre et par des marques partielles avec un glacis plus coloré que le premier.
L'aspect clair ou vieilli dépendra de la coloration des glacis.

3

LIÈGE : (3)

Ton de fond : blanc, ocre jaune et un peu d'ocre rouge selon l'aspect général recherché.
Appliquer en plein un glacis teinté (Sienne naturelle et un peu de Sienne brûlée).
Pour créer des particules, faire des enlevés dans le glacis frais ; après séchage, recolorer certains enlevés accompagnés de spaltés (ressauts faits dans le glacis avec un petit spalter).
Sertir quelques particules.
Pour créer du liège en plaque, proche de l'écorce, réaliser dans le même glacis teinté des ondulations au spalter et au chiffon pour les zones plus claires.
Finir par quelques marques brunes et quelques reflets roses, par du glacis, une pointe d'ocre rouge et de blanc.

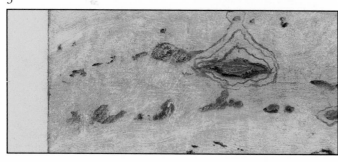

Cuir jaune, cuir marron

Parchemin clair, parchemin vieilli

Liège en particules, liège en plaque

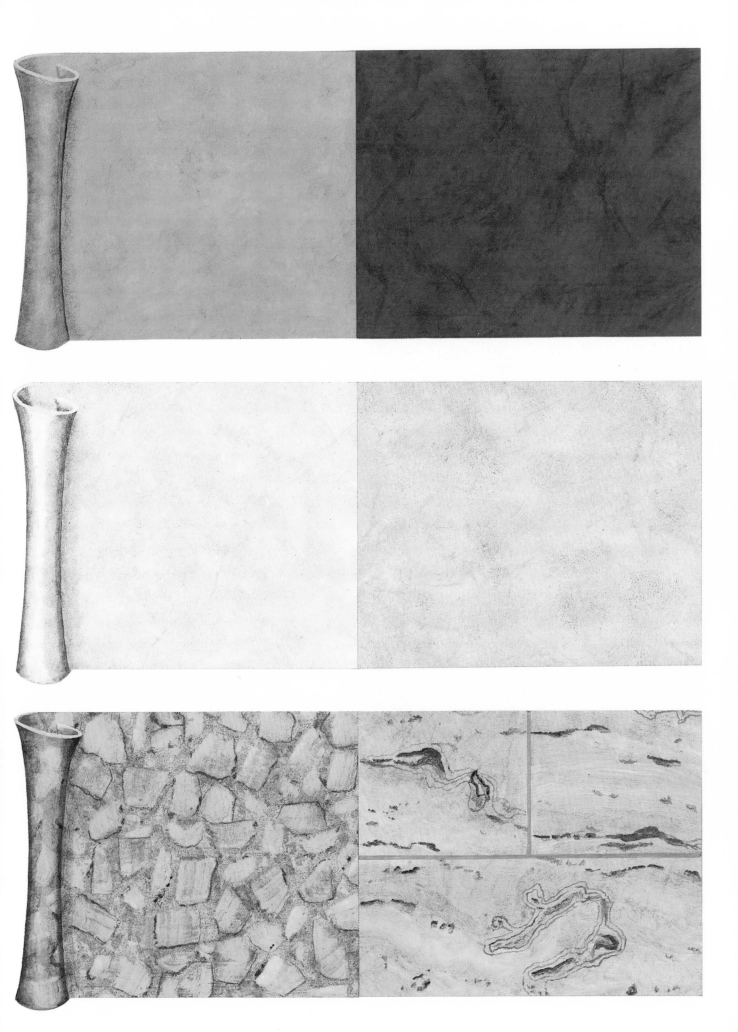

IMITATIONS IVOIRE, ÉCAILLE, NACRE

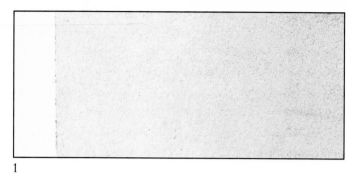

1

Les matières ci-dessous sont à utiliser en petites surfaces, sertis, galons, objets, effets de placages, etc.

IVOIRE : (1)
Matière osseuse de tonalité très claire s'harmonisant bien avec toute autre matière.
Ton de fond : blanc, un peu d'ocre jaune, pointe de vermillon.
Appliquer en plein un glacis légèrement teinté (Sienne naturelle et pointe d'ombre naturelle).
Pratiquer ensuite un vieillissage à un glacis, avec essuyage des reliefs et pochage des parties creuses.
Pour des objets, une couche finale de cire blanche lustrée au chiffon donne un reflet final proche de la matière.

2

ÉCAILLE :
Matière issue des carapaces de tortue représentée par deux coloris : rouge et jaune.
Ton de fond de l'écaille jaune ou blonde : (2)
jaune franc légèrement orangé.
Appliquer un glacis plutôt couvrant (Sienne naturelle et un peu de Sienne brûlée).
Faire des enlevés nets à l'éponge, adoucir les taches restantes.
Prévoir un reglaçage légèrement poché et comportant quelques points sombres en ombre brûlée.

Ton de fond de l'écaille rouge : rouge orangé vif : (2 bis).
Appliquer un glacis couvrant (Sienne brûlée, un peu de noir).
Faire des enlevés soit pour obtenir un effet nuageux peu chargé, soit pour créer des taches longues et ovalisées.
Adoucir ce travail.
Prévoir un reglaçage légèrement poché et partiel (Sienne brûlée, laque carminée) et quelques points presque noirs.

2bis

NACRE : (3)
Matière recouvrant l'intérieur de certains coquillages et présentant un bel aspect irisé.
Ton de fond : blanc, très peu d'ocre jaune, une pointe de jaune de chrome moyen.
Glacer le fond en incolore et à sec.
Placer de façon espacée quelques traînées à peine teintées, de coloris légèrement rose (laque carminée) et quelques autres de coloris vert pâle très lumineux.
Adoucir l'ensemble au pinceau doux ou au blaireau dans plusieurs sens.

3

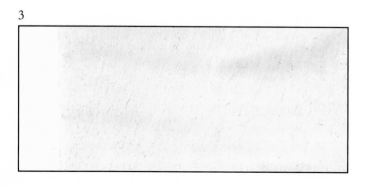

Imitations sur panneau à relief : le pourtour en ivoire clair et en ivoire vieilli ; le centre en écaille rouge (façon marqueterie en forme carrée)

Imitations sur panneau à relief : le pourtour en ivoire patiné, le cadre mouluré en nacre ; le centre en écaille jaune (façon marqueterie en forme triangulaire ou diagonale)

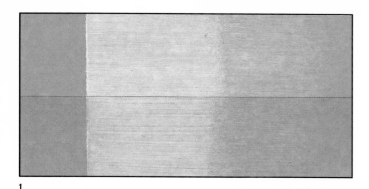

1

TERRE CUITE (1).

Les moulages d'argile cuits au four présentent un aspect doux et des coloris agréables;
cette matière est facile à imiter en partant d'objets moulés, sculptés, de médaillons muraux, etc.
Ton de fond: blanc, ocre jaune, un peu de mine orange ou de jaune-orangé, selon le coloris souhaité.
Appliquer en plein un jus de peinture blanche et mate.
Procéder ensuite comme pour une patine de vieillissage à un glacis, en essuyant fortement l'ensemble
pour ne laisser du blanc que dans les parties creuses.
Adoucir finalement au spalter et faire un léger pochage.
À noter: l'emploi de peinture mate blanche, vinylique ou acrylique, est recommandé pour ce travail.

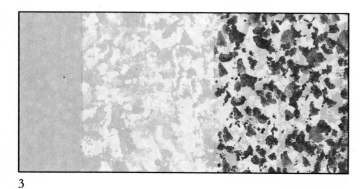

2

GRANITS

L'aspect moucheté des granits s'obtient par l'application successive de grains colorés.
On réalise chaque granité en utilisant un morceau d'éponge bien alvéolée, imbibée de peinture fluide
ou de glacis coloré, disposé sur une plaque (ou un couvercle) pour recharger facilement l'éponge.
Même possibilité avec le pinceau à chiqueter (voir p. 17).

Gris foncé (2):
Ton de fond: blanc, noir, pointe de bleu outremer.
Faire un premier chiqueté gris moyen.
Après séchage, placer un chiqueté foncé, gris anthracite (noir, pointe de blanc).
Finir par un dernier chiquetage gris clair.

Gris clair (3):
Ton de fond: identique.
Faire un premier chiqueté blanc cassé (pointe d'ocre jaune).
Après séchage, réaliser un ou deux chiquetés, gris moyen et gris anthracite (sans trop charger la surface).

Rose (4):
Ton de fond: identique.
Faire un premier chiqueté ton chair (blanc, ocre jaune, mine orange).
Après séchage, réaliser un chiqueté ton caramel et quelques granités brun foncé.

Autre exemple: granit du Tarn (5).

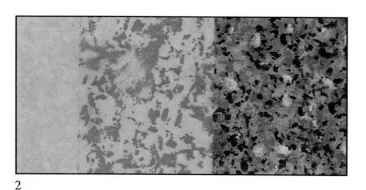

3

4   5

OBSERVATION:
Prévoir un vernissage final.

Vasque en imitation terre cuite

Granits en assemblage

FAÇON BRIQUES

La bonne imitation de briques appareillées repose sur des traçages et des filages minutieux.
Il faut aussi tenir compte des différents aspects existants (coloris variés, traces de cuisson, formats).

Dimensions conventionnelles des tracés:
hauteur 7 cm, longueur 22 cm et largeur 11 cm.
Les dimensions finales des briques sont réduites de 8 à 10 mm par l'épaisseur des filets réalisés.
Certaines briques minces, de parement,

font 3 ou 4 cm de hauteur et 22 ou 25 cm de longueur.
Exécution:
Réaliser la peinture de fond unie, au coloris voulu, d'aspect mat de préférence.
Tracer légèrement au crayon l'appareillage des briques.
Nuancer les briques partiellement ou en plein, par des frottis de glacis teintés respectant les tracés.
Finir par la réalisation des filets correspondant aux joints de ciment. Tonalités: blanc cassé, gris moyen ou ton ciment soutenu; pour mieux figurer en creux, ils peuvent comporter une ombre portée.

PRINCIPAUX APPAREILS (BRIQUE ROUGE UNIE)

  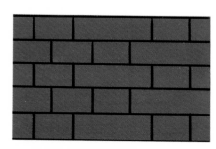

Ordinaire	À l'anglaise	En croix

1

BRIQUE ROUGE À FROTTIS PARTIEL: (1)
Ton de fond: ocre rouge, pointes de blanc et d'ocre jaune.
Appliquer le même glacis teinté (Sienne et ombre brûlées) en plein dans chaque brique.
Faire des essuyés en variant l'ombrage selon le tracé.
Faire un pochage final pour estomper les essuyés; le filage des joints masquera les limites imprécises des briques.

2

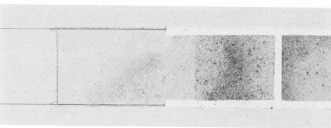

BRIQUE JAUNE ANCIENNE: (2)
Ton de fond: ocre jaune, blanc, un peu d'ombre naturelle.
Appliquer un glacis léger (Sienne et ombre naturelles) avec mêmes ombrages variés que ci-dessus.
Revenir partiellement avec un glacis un peu plus teinté; faire son pochage. Finir par des spitcés bruns.

3

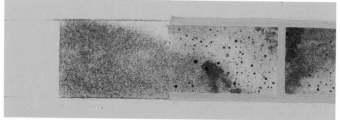

BRIQUE FLAMMÉE: (3)
Ton de fond: ocre jaune, blanc, jaune-orangé et pointe d'ocre rouge.
Appliquer un glacis teinté rougeâtre (Sienne et ombre brûlées) avec ombrage poché partiel.
Reglacer en Sienne naturelle et jaune-orangé en rajoutant des taches brunes et violacées. Finir par des spitcés très bruns.

OBSERVATIONS:
Prévoir un vernissage final, mat ou satiné.
Des dessins et dispositions géométriques peuvent être obtenus par la coloration ou le nuançage calculé de certaines briques.

Avec frottis d'appareil

Avec têtes de Briques réchampies
Brique mince moderne

Avec coloration différente par brique

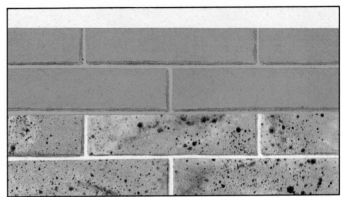

Brique mince flammée grise

Brique jaune neuve

Brique jaune vieillie par frottis

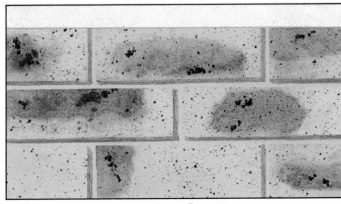

Brique claire flammée

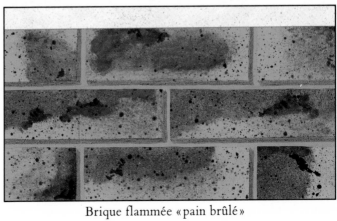

Brique flammée « pain brûlé »

EFFETS BOIS

Tons de fond   Chêne clair   1

Chêne foncé
Chêne moyen   2

Sapin
Sapin   3

Bois de rose
Noyer foncé   4

Acajou
Chêne cérusé   5

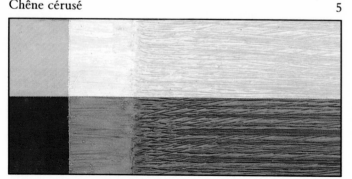

Cérusé teinté contemporain

L'imitation simplifiée de bois repose sur l'application d'un glacis coloré sur un fond peint de tonalité plus claire; c'est là sa similitude avec les patines classiques.

Les effets décrits dans ces pages: peignages, ronces, bois de fil, grains du bois, peuvent se compléter pour un résultat en trompe-l'œil par glacis superposés.
Dans tous les cas, un vernissage est à réaliser.
Il sera d'aspect mat ou ciré pour les effets cérusés.
Les tons de fond des bois présentés sont visibles à gauche de chaque échantillon.

EFFET CHÊNE PEIGNÉ: (1)
Appliquer en plein un glacis coloré et créer des rayures parallèles à l'aide des peignes en acier vendus pour l'imitation chêne.
Essuyer le glacis sur le peigne, après chaque geste.

EFFET DE RONCE: (2)
Appliquer à sec, à l'endroit de la ronce, un glacis à peine teinté. Dessiner la ronce (brosse à tableaux ou martre) avec un glacis coloré.
Appliquer ce même glacis en plein sur la surface restante et le rayer à la toile en suivant les contours de la ronce.

EFFET BOIS DE FIL: (3)
Appliquer en plein un glacis coloré selon l'essence de bois choisie et rayer en longueur à l'aide de toile de jute pliée; en réalisant ce travail, créer quelques ressauts en arrêtant parfois son geste.

EFFET GRAIN DU BOIS: (4)
Appliquer en plein un glacis coloré et taper à plat sur ce glacis avec une queue à battre (voir brosserie); ce fouettage se fait en avançant avec l'outil et non pas en ramenant la main vers soi.

EFFET BOIS CÉRUSÉ: (5)
Cette imitation de bois naturel blanchi par un enduit «bouche-pores» est obtenu en appliquant un glacis blanchâtre sur le fond peint.
Après son application, faire un toilage fort et ensuite un peignage.
Possibilité de placer quelques ronces.

L'aspect cérusé, très prisé actuellement en décoration (boiseries et mobiliers peints), est proche de l'aspect blanchi et délavé décrit dans les patines antiquaires, page 36.

Façon parquet: tracés préalables et tons de fond différents permettent ces résultats décoratifs

Façon marqueterie: effets bois sur supports papier, découpage à suivre et assemblage final collé permettent d'approcher l'effet marqueté

LA DÉCORATION AU POCHOIR

Voici un petit mode d'emploi du pochoir, technique qu'il est utile de connaître en complément des autres procédés décoratifs. Le pochoir s'obtient en créant, grâce à des découpes franches, des parties évidées dans un papier fort (bristol, papier à dessin) ou dans une feuille plastique un peu souple.

1   2

3   Attache

RÉALISATION DU MOTIF:

Sur un papier, dessiner le motif recherché, à la grandeur voulue
(selon ses propres créations ou par la consultation de modèles ou documents).
Découper ensuite ce dessin et reporter ses contours sur le papier choisi,
préalablement imprégné sur les deux faces par une ou deux couches de vernis gomme
laque ou de glacis à l'huile.
Cas des motifs symétriques: dessiner une moitié du motif; la reporter
de part et d'autre d'un trait d'axe vertical. Fig. 1, 2.

CONFECTION DU POCHOIR:

Faire les découpes avec un cutter en plaçant le support sur une plaque lisse et dure
(glace, métal).
Prévoir de laisser des attaches dans les parties étroites et des encoches pour l'ajustage
sur les tracés préalables. Fig. 3

4

UTILISATION:

Plaquer le pochoir sur la surface, avec la main ou du ruban adhésif; imprégner le bout
des soies de la brosse ronde à soies courtes et droites, dite «à caractères».
Pour cela, utiliser un couvercle ou une palette,
garnis d'un peu de peinture pas trop fluide. Fig. 4.
Tapoter verticalement au travers du pochoir; procéder fréquemment
à son essuyage.

5   6

OBSERVATIONS:

Les ornements faits au pochoir peuvent être retouchés à la brosse pour les améliorer:
ombres et lumières, touches colorées, sertis, etc.
On peut aussi créer des pochoirs à superposer pour obtenir finalement plusieurs tons
ou un effet modelé, orné, etc. Fig. 5, 6, 7.
Les petits rouleaux mousse peuvent remplacer la brosse à pochoir ainsi que les peintures en
aérosol qui permettent en plus le rajout
de nuances par projection partielle d'un autre ton.
Sur les pochoirs, les couleurs à l'huile et les peintures à solvants se nettoient mieux
que les produits vinyliques et acryliques.

7

Il est toujours intéressant de conserver en bon état tous ces pochoirs créés à l'occasion
d'ornementations répétitives pour les exploiter à nouveau dans de futurs travaux;
ils peuvent être gardés dans une chemise cartonnée avec des intercalaires
(papier-calque, papier glacé ou simple).

PROTECTION DES TRAVAUX DÉCORATIFS

PRINCIPE DES PROTECTIONS.
Les travaux décoratifs faits en glacis à l'huile
doivent recevoir une protection incolore, d'une ou plusieurs
couches selon le degré de soin et les conditions d'usure.
Les travaux décoratifs faits en glacis à l'eau (bière,
gouache diluée, etc.) ou en acrylique et vinylique dilués
doivent aussi recevoir une protection incolore
selon les mêmes critères.
Les travaux décoratifs faits de façon consistante
(dilution normale) avec les produits suivants,
ne nécessitent pas une protection incolore : peintures alkydes,
peintures et couleurs à l'huile, peintures acryliques,
vinyliques.
Cependant elle reste conseillée en fonction
de cas particuliers : résistance aux intempéries,
nettoyages fréquents, résistance aux vapeurs, brillance
recherchée, etc.

NOMENCLATURE DES PRODUITS.
Vernis à l'alcool (gomme laque, vernis copal) :
aspect brillant, séchage rapide.
À réserver aux petits objets et petites surfaces intérieures.
Vernis alkydes à solvants :
existent en aspect mat, ciré et satiné, brillant.
Cette gamme de vernis convient bien sur glacis à l'huile,
à l'eau, acryliques dilués, etc. ;
ils permettent d'appliquer deux, trois ou quatre couches
successives et de les poncer à l'eau et au papier abrasif
pour préparer une surface lisse et tendue avant la couche finale.
En travail intérieur, le vernis dit flatting
est intéressant pour cette préparation particulière et soignée.
Cire blanche naturelle : non jaunissante, à délayer avec
de l'essence de térébenthine (80 grammes environ par litre).
Aspect mat après application à la brosse
ou satiné par lustrage au chiffon.
Surtout utilisable pour protéger les décors et patines murales
de tonalités claires.
Vernis lavabilisateurs (dits plastifiants) : non jaunissants.
Aspect mat, satiné et brillant.
Utilisables pour décors intérieurs
faits en produits pas trop gras.
Vernis acryliques à dilution essence ou à l'eau : se méfier
du jaunissement. Consulter leur fiche technique pour éviter
des incompatibilités.

OBSERVATIONS :
L'emploi des vernis alkydes (glycérophtaliques)
provoque aussi un certain jaunissement des décors
principalement visible sur les tonalités claires.
Les vernis polyuréthannes (à deux composants)
sont haut de gamme mais leur bonne application exige
de procéder par pistolétage et d'exclure tout fond gras
(huile, alkydes).

GLOSSAIRE

Adoucir : consiste à atténuer, après application, un glacis ou une teinte en passant dessus un spalter (ou un rondin) de façon très douce.

À sec : désigne la façon d'appliquer un produit sur une surface en en laissant très peu. Ex. : glacer à sec.

Chiqueter : consiste à créer des petits points colorés sur une surface, principalement à l'aide d'éponges. Ex. : faire des chiquetés, des granités.

Enlevé : effet résultant de l'essuyage partiel d'un glacis ou d'une teinte précédemment appliqués. Ex. : faire des enlevés au chiffon, à l'éponge.

En plein : désigne l'application d'un produit sur toute la surface à traiter. Ex. : glacer en plein le panneau mouluré.

Façon : Ce mot, dans le domaine technique, est synonyme d'imitation. On le retrouve fréquemment utilisé dans les documents professionnels. C'est un terme utilisé dans la série des prix de l'Académie d'Architecture servant de base à l'établissement des devis.

Fondu : effet estompé obtenu en pochant finement ou en brossant au pinceau sec un glacis ou une teinte fluide, pour obtenir un dégradé très doux en limite de son application.

Frais : état d'une surface récemment couverte d'un produit n'ayant pas entamé son séchage. Ex. : travailler dans un glacis (ou un médium) frais.

Gabarit : modèle découpé dans une matière rigide (carton fort, etc.) permettant le report rapide de tracés répétitifs, en suivant ses contours au crayon. Ex. : balustre galbé.

Glacer : c'est appliquer un glacis (à l'huile, à l'eau), en plein ou partiellement.

Glacis incolore : glacis comportant les constituants liquides mais sans aucun pigment, donc sans coloration.

Gris ciment : ce ton utilisé en joints de pierre, briques, etc., se compose de blanc, noir, et d'un peu d'ocre jaune ; il peut comporter de la Sienne ou ombre brûlée selon sa recherche (vieux mortier, etc.).

Poncif : élément à confectionner permettant ensuite le report d'un dessin précis. Il s'obtient en dessinant le motif souhaité sur du papier-calque de bon grammage et en piquant les contours dessinés avec une aiguille forte plantée dans un bouchon en liège. Pour décalquer le motif sur une surface, on tapotera ces perforations avec une poncette (tissu fin replié en poche et contenant un peu d'ocre jaune, de talc...)

Rehausser : c'est mettre en évidence les reliefs vrais ou faux d'une surface par des touches claires. Ex. : des rehaussés d'or sur une rosace.

Ressaut : c'est une marque sombre rectiligne faite par un arrêt du spalter traîné dans un glacis. Des ressauts répétés s'utilisent dans les imitations bois pour créer des ondulations, des spaltés.

Sertir : c'est entourer le pourtour d'un motif par un filet de peinture étroit et de couleur différente. Ex. : des éléments sertis de bleu.

Spitcer : c'est projeter sur une surface des petits points sombres ou clairs de peinture ou de glacis, bien souvent à l'aide des soies arc-boutées d'une brosse à dent. Ex. : faire des spitcés sur une fausse pierre pour imiter des pores, des cavités.

Teinte plate : désigne une peinture unie, sans relief ni nuançage. Ex. : un motif géométrique traité en teintes plates sera fait de différents éléments colorés unis peints en aplat.